SYLVIE LO

Le journal d'Alice

Et si on faisait la paix?

DOMINIQUE ET COMPAGNIE
lejournaldalice.com

En me réveillant, ce matin, mon regard est tombé sur *Betty*, une des peluches que Caroline venait de poser sur son oreiller. Et tu sais quoi, cher journal ? La couverture du cahier que j'inaugure aujourd'hui a exactement la même couleur que la truie chérie de ma sœur ! Du coup, je le baptise le cahier « rose *Betty* ». Bon, voilà que moi aussi, je commence à voir la vie en rose cochon !

Lundi 15 novembre

Madame Robinson nous a demandé de faire une recherche sur un animal sauvage. Elle nous a laissé un quart d'heure pour choisir notre coéquipier et nous mettre d'accord sur un sujet. Les présentations débuteront la semaine prochaine. Patrick et Eduardo passeront les premiers avec le requin. Marie-Ève et moi, on préférait avoir davantage de temps pour réaliser notre recherche. On la présentera dans un mois. Ma meilleure amie, qui avait vu une émission sur les loups avec son père, voulait en savoir plus. Et pourquoi pas ? On captera davantage l'attention des gars avec le loup qu'avec la loutre ou la marmotte. Au programme, il y aura aussi :

* l'alligator, par Stanley et Jonathan (le 25 novembre) ;

* l'ours blanc, par Kelly-Ann et Africa (le 29 novembre) ;

* le dauphin, par Jade et Hugo (le 2 décembre) ;

* le panda, par les 2 Catherine (le 6 décembre) ;

2

* l'éléphant, par Violette et Bohumil (le 9 décembre) ;
* la girafe, par Emma, Audrey et Gigi Foster
  (le 13 décembre).

Cet après-midi, un véritable brouhaha régnait dans la classe de monsieur Gauthier, au 2ᵉ étage. À entendre les exclamations enthousiastes qui fusaient jusqu'à nous, ils étaient sûrement en pleine séance de magie, là-dessous.

Vingt minutes avant que la cloche sonne, notre enseignante a déclaré qu'on méritait une pause, nous aussi. Rien à voir avec un numéro de prestidigitation ou un autre des super privilèges que l'enseignant 100 % cool de la 5ᵉ A concocte pour ses élèves. Madame Robinson nous a fait asseoir au fond de la classe. Au programme… une de ses éternelles lectures-récompense. J'ai quand même appris à les apprécier. Les romans que nous lit la prof ne sont pas toujours évidents à comprendre mais comme elle met beaucoup d'intonation, au bout d'un moment, je rentre dans l'histoire. Bref, lorsque, 30 secondes plus tard, elle nous a rejoints avec une chaise à la main gauche et un livre à la main droite, Stanley a bougonné :
– Encore un bouquin du siècle dernier…
– Du millénaire dernier, tu veux dire ! a renchéri Patrick en levant les yeux au ciel.
Sans se laisser démonter, la prof a répondu :
– En effet, *Un sac de billes* est paru en 1973. Joseph Joffo y raconte un épisode de son enfance qui s'est passé en France au début des années 40, en pleine Seconde Guerre mondiale.

Après avoir jeté un air de défi aux gars qui affichaient un air blasé, Emma s'est adressée à notre enseignante :

– Moi, ça m'intéresse, madame ! Mes arrière-grands-parents ont subi la guerre. Pas en France mais en Allemagne. Deux d'entre eux ont été déportés dans le camp de concentration d'Auschwitz, en Pologne. Seule mon arrière-grand-mère a survécu.

Hein, il s'agissait sans doute de sa Babouchka, dont j'avais fait la connaissance pas plus tard que samedi dernier ! Tout le monde dévisageait Emma. Les gars ne disaient plus rien. Rompant le silence, Catherine Provencher a expliqué qu'elle avait vu *Monsieur Batignole*, un film dont l'action se déroule pendant la Deuxième Guerre mondiale.

– Il s'agit d'un excellent long métrage avec des jeunes de votre âge, a déclaré la prof. Je vous le recommande. Pour en revenir au récit de Joseph Joffo, je vous en lirai des passages et vous résumerai le reste.

Ajustant ses lunettes rouges sur son nez, elle a ouvert le roman.

Alors que j'aidais maman à préparer le souper, je lui ai parlé du livre *Un sac de billes* ainsi que de la vive réaction d'Emma.

– À Bruxelles, ma famille aussi a connu la guerre, a déclaré moumou.

– Tu veux dire mamie Juliette et papi Christian ?!

– Non, car ils n'étaient pas encore nés. Mais ceux qui allaient devenir leurs parents étaient adolescents lorsque la Seconde Guerre mondiale a éclaté. Ils n'ont pas été arrêtés et déportés dans les camps de concentration parce qu'ils n'étaient pas juifs. Malgré tout, ces années de guerre ont été terribles. Les gens avaient peur qu'une bombe tombe sur leur logement. Ils souffraient de la faim car la nourriture était rationnée et de piètre qualité. Pour en obtenir, il fallait présenter des tickets et faire des files interminables. Ma grand-mère Paula m'a raconté que sa propre mère avait un jour réussi à réunir tous les ingrédients pour faire des crêpes. Le soir, autour de la table, ça avait été une sacrée fête !

J'étais suspendue aux lèvres de moumou.

– Une autre fois, a-t-elle poursuivi, deux officiers sont entrés dans la classe de Paula, à l'école. Ils sont repartis avec une de ses amies, Simone Goldberg. Personne n'a plus jamais entendu parler d'elle. Cette jeune fille juive avait dû être déportée dans un camp de concentration avec sa famille.

Pauvres gens ! Tout ça m'a rappelé Anne Frank, dont m'avait parlé ma cousine Lulu. Les guerres, c'est atroce, cher journal.

À table, Caroline a rouspété car elle déteste les choux de Bruxelles (on voit que ma sœur n'a pas connu la guerre !). Papa lui a passé la bouteille de ketchup et maman a habilement détourné la conversation en déclarant qu'elle allait nous réinscrire au cours de natation. (L'an dernier, nous n'avions pas fréquenté la piscine car, avec la naissance de bébé Zoé, mes parents étaient super occupés.)

– Cool! s'est exclamée Caro. C'est quand qu'on y retourne?

– Pour moi, c'est pas la peine de m'inscrire car je n'irai pas, ai-je signalé à ma mère.

– Ah bon?! Pourtant, tu es un vrai poisson dans l'eau, Alice.

– J'aime nager l'été, c'est vrai. Mais je n'ai aucune envie de reprendre des cours. Entrer dans la piscine est une véritable épreuve.

– Comment ça?! m'a questionnée Caroline.

– L'eau est si froide que, dès que j'y plonge un orteil, je subis un choc thermique. Être maigrichonne ne doit pas aider…

Gigi Foster a fini par me convaincre que j'étais maigrichonne, cher journal. Si j'étais un peu plus rembourrée, comme elle, Catherine Provencher ou Emma Shapiro, l'eau me semblerait sans doute moins glacée. En été, ça rafraîchit, mais en hiver… Brrrrrrrrr!!!

Maman a protesté:

– Voyons, Alice! Tu n'es pas maigrichonne!

– En plus, ai-je ajouté, avec mon bonnet de bain, j'ai l'air d'un têtard.

– Un têtard?! Tu racontes vraiment n'importe quoi! s'est écriée ma sœur. Moi, je veux m'inscrire à la piscine. J'aimerais faire de la compétition.

– Excellente idée, a dit papa. Je me renseignerai.

Non, je ne raconte pas n'importe quoi, cher journal. J'te jure que j'ai l'air têteuse avec un bonnet de bain. Alice, le têtard sympathique. Mais têtard quand même.

Moumou est revenue à la charge :

– C'est bien beau de bouder la natation, ma grande fille, mais il est plus que temps de reprendre une activité physique régulière. Que voudrais-tu faire : de la gymnastique ? Du karaté ? Du patinage ?

Prise d'une inspiration subite, j'ai déclaré :

– J'aimerais patiner avec Africa.

– Elle suit un cours de patinage artistique ? Ou de vitesse ?

– Ni l'un ni l'autre. Afri va à la danse hip-hop. Mais elle et Kelly-Ann se rendent à l'aréna le vendredi après l'école. De 16 à 17 h, c'est une période de patin libre.

– Je pourrai y aller, moi aussi ? a demandé Caro.

Papa a décrété :

– Bien sûr. Les anciens patins de ta sœur devraient être à ta taille, mon chaton. Et il faudra en acheter de nouveaux pour Alice. Quant à moi, j'aimerais aussi refaire du sport. Mon collègue Enzo joue au tennis le mardi soir. Je pourrais…

– Pas le mardi, chéri, l'a coupé maman.

– Je sais bien, Astrid, que ce jour-là, tu vas au yoga en sortant du travail. Mais pour le tennis, je voulais dire le mardi après le souper. À 20 h, par exemple.

– Impossible !

Voyant son homme froncer les sourcils devant tant d'intransigeance, moumou lui a expliqué :

– C'est à cette heure-là que passe mon émission préférée. Et Alice et Caroline la regardent avec moi. Du coup, on a besoin de toi pour s'occuper de Zoé si jamais elle ne dort pas encore.

Ça, c'est la meilleure, cher journal ! Jusqu'à la rentrée, Astrid Vermeulen était fermement opposée à ce que ma sœur et moi, on écoute cette télésérie qu'elle jugeait inadaptée pour notre âge et, par-dessus le marché, complètement débile... Et aujourd'hui, elle en parle comme de *son* émission préférée et va jusqu'à réquisitionner poupou, le mardi soir, au cas où sa Prunelle réclamerait des bras parentaux après 20 h ! Enfin, comme moumou le dit parfois, *il n'y a que les imbéciles qui ne changent pas d'avis.*

Le point de vue d'Astrid Vermeulen il y a 3 mois :
Pas question de regarder Samantha et ses colocs !
Le point de vue d'Astrid Vermeulen aujourd'hui :
Samantha et ses colocs, c'est sacré !

J'allais me déshabiller pour prendre ma douche quand je me suis rappelé que demain, il faut remettre sans faute le bon de commande pour les agrumes à madame Robinson. Tu te demandes de quoi je parle, cher journal ? Te souviens-tu qu'au mois de juin prochain (ça semble si loin...), je partirai en Gaspésie avec ma classe, celle de madame Pescador et les 5ᵉ année ? Pour financer notre séjour, deux campagnes sont prévues :

☺ une vente d'oranges qui nous seront livrées dans une semaine.

☺ une vente de chocolats de Pâques.

Maman a immédiatement réservé deux caisses d'oranges. J'ai téléphoné à nos voisins pour leur demander s'ils souhaitaient participer à notre collecte. Les Baldini, les Banville ainsi que Pierre et Michael ont tous commandé une caisse. Yé !

Mardi 16 novembre

Pendant le cours d'anglais, Miss Twigg m'a interrogée. La première phrase, je la savais mais après, je me suis trompée. Alors, comme autrefois avec Cruella, mon cerveau est devenu vide. La remplaçante a demandé à Marie-Ève de continuer. À la fin de la leçon, Miss Twigg est venue me trouver. Elle s'est informée :

– Que t'est-il arrivé tout à l'heure, Alice ? Tu semblais avoir bien étudié puis, tout à coup, tu ne savais plus rien et tu avais l'air malheureuse.

– Je suis nulle en anglais…

– Ce n'est pas vrai ! Au contraire, en quelques semaines, tu as fait de gros progrès. D'ailleurs, si tu connaissais tout, tu n'aurais pas besoin de venir à l'école. Il te faut acquérir de la confiance en toi et oser t'exprimer, Alice, quitte à faire des fautes.

Elle a raison, Grace Twigg. Si je l'avais eue comme prof dès la 1ʳᵉ année, je serais presque bilingue aujourd'hui, plutôt que d'être à la traîne. Au moins, grâce à cette remplaçante, j'ai commencé à aimer l'anglais. Mieux vaut tard que jamais!

Lorsque madame Robinson est revenue en classe, elle nous a donné un exercice en français : résumer l'histoire de la page 54 de notre manuel en 10 phrases. J'ai commencé à travailler. Puis un bruit m'a fait tourner la tête vers la fenêtre. Un ✈ traversait le ciel gris. Arrivait-il de Beyrouth? Mon esprit s'est mis à vagabonder. Ça devait bien faire un mois que j'attendais des nouvelles de Karim. Pourquoi n'avait-il pas encore répondu à mon courriel? Rien que de penser à lui, j'ai senti mon cœur fondre comme de la guimauve. Perdue dans mes pensées, j'ai murmuré, pour moi-même, sans que le moindre son ne sorte de ma bouche : « Tu me manques, Karim. S'il te plaît, écris-moi! »

– Qu'est-ce que tu fabriques? ! s'est exclamée madame Robinson en passant à côté de mon pupitre.

Oups, j'ai fait un de ces sauts! Mais la prof ne m'avait pas prise en flagrant délit de romantisme. C'était à Joey qu'elle s'adressait, juste devant moi.

– Tu ne dois pas écrire dans ton manuel, Jonathan.

– C'est pas de l'écriture! a protesté notre ouragan. Ça m'ennuie de lire, alors je dessine comme Catherine (Frontenac), dans les marges de ses cahiers. Sauf que moi, je fais des graffitis.

– Écoute, si tu as envie de griffonner, je t'autorise à le faire dans ton cahier de brouillon, une fois ton travail scolaire terminé. Mais les livres, il faut les respecter ; on ne crayonne pas dedans ! Bon, prends ta chaise et viens me rejoindre à mon bureau. Je vais t'aider.

Comme maman va au yoga ce soir, Caroline et moi, on était chargées, après l'école, de récupérer notre bébé chéri à la garderie. Une fois dans la rue, Zoé voulait marcher. Je lui ai donné la main tandis que Caro poussait la poussette. Se penchant soudainement, Zouzou a ramassé une petite boule rose sur le trottoir et l'a fourrée dans sa bouche. Horreur absolue !

– Beurk ! me suis-je exclamée. Crache ça !

– Non !

C'était dégueu, cette gomme mâchée par un inconnu et qui avait atterri par terre ! Pourvu que Zoé n'attrape pas un affreux microbe à cause de cette saleté. Et surtout, qu'elle ne s'étouffe pas en l'avalant !!!

– Donne-moi ça, s'il te plaît, Zoé !

– Non !

J'ai essayé de lui ouvrir la bouche mais elle la tenait obstinément fermée. À ma seconde tentative, j'ai poussé un cri :

– Aïe ! Tu m'as mordu le doigt !!!

– Pauvre Alice ! s'est écriée Caro.

Saisissant la chenille de Zoé dans la poussette, elle l'a placée devant cette dernière comme si c'était une marionnette. Et elle lui a prêté sa voix :

11

– Bonjour Zouzou. Tu as mis une gomme dans ta bouche. Mais elle est sale, cette gomme. Jette-là. Et à la maison, je te donnerai des céréales.

Zoé, subjuguée, écoutait sa chenille. Puis, prenant la boulette dégoulinante de salive, elle l'a lancée dans la rue en déclarant:
– C'est saaale!
J'ai félicité Caro.
– Bravo! Tu y es arrivée.
– Caca! a conclu Zoé en désignant la tache rose sur le gris de la chaussée.

Une fois à la maison, devine ce qui m'attendait, cher journal? Un courriel de Karim! Quelle coïncidence! Il était peut-être en train de m'écrire, tout à l'heure, lorsque je pensais à lui! Une onde invisible nous reliait, entre Beyrouth et Montréal...

De: Karim Homsy
À: Alice Aubry
Envoyé le: 16 novembre
Objet: Un bonjour de Beyrouth

Chère Alice,
Tu es allée aux États-Unis! Cool! Tu me raconteras ça. Ma famille et moi, on a fait une excursion de deux jours au sud du pays. On a visité le beau village de Deir El-Qamar. On s'est

aussi promenés en montagne, dans une immense forêt de cèdres du Liban. Le garde forestier qui nous guidait à travers les sentiers nous a expliqué plein de choses intéressantes. Notamment qu'il y a des cèdres de plus de 2500 ans. Tout comme le sapin, le cèdre est un conifère. On le voit d'ailleurs sur le drapeau du Liban. Et sur certains timbres.

Notre guide nous a aussi parlé des oiseaux et autres animaux qui vivent dans cette réserve naturelle. Du coup, ma sœur avait peur de tomber sur un loup, une hyène ou un sanglier! Moi, j'ai raconté à notre guide qu'au Québec, dans les bois, on trouve également des loups mais aussi des ours et des orignaux. Il m'a confié qu'il aimerait un jour visiter le Québec. Et moi, je rêve d'y retourner bientôt, du moins pour des vacances. Mes copains me manquent. Et toi aussi, Alice. Heureusement, j'ai de bons amis dans ma nouvelle classe: Sammy, Gabriel, Adam, Elie, Yara, Nawal, Nicole, Elissa et Thalia.

Et pour répondre à ta question concernant mes profs, je les aime tous sauf celui de français, monsieur Chedid. Mais je ne suis pas le seul à le redouter car il se montre trop sévère envers tous ses élèves. Par contre, j'apprécie beaucoup monsieur Kanaan, en géographie. Non seulement il est intéressant et drôle, mais en plus, il nous fait faire souvent des travaux d'équipe.

On se parle par Skype le week-end prochain? J'attends de tes nouvelles.

Raconte-moi comment tu vas, toi. À bientôt!

Ton ami Karim xxx

P.-S. – J'espère que madame Fattal te fiche la paix, cette année.

Karim ne disait pas pourquoi il avait tardé à m'écrire. Le principal était d'avoir de ses nouvelles et de savoir que tout allait bien pour lui (sauf au cours de monsieur Chedid, l'équivalent masculin de Cruella, apparemment). D'après lui, un cèdre du Liban orne certains timbres. Je me rappelais avoir collé des timbres libanais dans un de mes cahiers. En feuilletant le cahier orange, je les ai retrouvés. Un de ces timbres représentait effectivement un arbre qui ressemble à un sapin. Ça doit être ça, un cèdre du Liban.

À propos de ses nouveaux amis, j'ai constaté (avec une pointe de jalousie, cher journal) qu'il a aussi beaucoup d'amiEs... C'est peut-être pour ça qu'il a mis plusieurs semaines à me répondre. Car les filles de sa classe ne sont certainement pas insensibles à son charme. Autant me faire une raison. Karim a sa vie à vivre, là-bas. Et tant mieux s'il est heureux. Moi, je suis très contente de continuer à compter pour lui puisqu'il m'écrit que je lui manque... c'est quand même pas rien !

J'ai envoyé un courriel à Karim en lui résumant les événements des dernières semaines. Rien que des choses que tu sais déjà, cher journal (eh non, je ne te fais pas de cachotteries ! Hi, hi, hi !). Entre autres :

☺ Le congé de maladie de Crucru et mes progrès en anglais grâce à Miss Twigg.

☺ Le fait que madame Robinson se montre plus patiente avec Jonathan.

☺ Les projets pour le centenaire de l'école, dont le *move dub* qui aura lieu le 9 décembre.

☺ Mon admission et celle de Marie-Ève, d'Africa et de plusieurs autres au collège Jean-Paquin.

J'ai terminé mon message en disant à Karim que je serais heureuse de lui parler sur Skype dimanche prochain à 14 h. Rien qu'à y penser, cher journal, mon cœur bondit de joie (et d'amour, mais chuuut...). Oupsie, déjà 18 h 10 ! Et je n'ai encore rien fait (enfin, rien de ce que moumou exige pour que j'aie le droit de regarder *Samantha et ses colocs* : devoirs, leçons, douche, mettre la table, etc.). Je veux bien que ma mère soit devenue accro, elle aussi, à MON émission. Mais ce serait le comble si elle s'adonnait sans moi à sa nouvelle passion !

Mercredi 17 novembre

Madame Robinson était tout sourire aujourd'hui. Et le fait que Jonathan ait fait culbuter sa chaise à trois reprises n'a en rien altéré son humeur radieuse. J'ai compris pourquoi lorsqu'elle nous a rappelé notre sortie scolaire de demain au Salon du livre de Montréal. Suite à sa demande, le directeur lui a alloué un budget spécial pour se procurer des livres destinés à garnir les étagères supérieures de notre bibliothèque, qui sont encore vides. Chacun d'entre nous pourra donc choisir un bouquin au Salon du livre. Les élèves de madame Pescador bénéficieront du même privilège.

– Cool! s'est enthousiasmée Marie-Ève.

– On est obligés de prendre un roman ou ça peut être une BD? s'est enquis Eduardo.

– Une BD, c'est un livre, n'est-ce pas?! lui a répondu la prof.

Pour finir, notre enseignante a précisé que, si nous faisions signer notre livre de bibliothèque par un auteur, il faudrait lui demander de le dédicacer à tous les 6e B.

Ce soir, quand maman est venue border ma sœur, elle m'a passé 2 billets de 20 $.

– Tiens, Alice, c'est pour que tu te gâtes, demain.

– Oh, merci moumou!

Quarante dollars! Yé! Jamais ma mère ne me donnerait de quoi m'acheter mon magazine *MégaStar,* par exemple. Ni un vernis à ongles ou un bijou (à part à Noël ou à mon anniversaire). Mais pour les bouquins, elle est toujours généreuse. Caroline s'est écriée:

– Et moi? C'est trop injuste!!! Non seulement Alice passera une super matinée au Salon du livre, mais en plus, elle reçoit plein de sous!

– Le jour où tu feras cette sortie avec ta classe, je te donnerai également de quoi t'offrir des livres.

– Ouais, quand je serai en 6e année…, a ronchonné Caro. Trois ans, c'est une éternité! Moi, ce que je voudrais, c'est aller au Salon du livre cette semaine!

– Écoute, nous pourrions nous y rendre ce week-end si tu veux, rien que toi et moi.

– Et je pourrai acheter pour 40 $ de livres?

– D'accord.

– Merci maman ! J'aimerais bien trouver un documentaire sur les cochons. Et des romans passionnants. Ce sera génial pour moi de rencontrer de vrais auteurs ! Je leur demanderai comment ils font pour publier leurs livres. Car tu sais que j'écris des histoires moi aussi. Eh bien, je rêve qu'elles se retrouvent un jour en librairie.

– Je te le souhaite de tout cœur, ma Ciboulette. En attendant, fais de beaux rêves. À demain !

Jeudi 18 novembre

Cher journal, ce matin, je glisse mon iPod dans une poche de mon jeans ! Je compte bien prendre des photos au Salon du livre !!! Clic !

Ce matin, nous sommes partis à pied au métro Henri-Bourassa. Nous, c'est-à-dire notre classe + la classe de 6e A + 2 parents accompagnateurs (le père de Jonathan et la mère de Mila Tardivel). Sur le quai, de mauvais souvenirs sont revenus à ma mémoire. Mais cette fois, Cruella n'était pas là pour gâcher notre sortie. Avisant Hugo qui portait deux sacs rebondis, je lui ai demandé ce qu'il y avait à l'intérieur.

– Des sacs en plastique, m'a-t-il répondu. Déjà utilisés mais propres, bien entendu. Quelques personnes les apportent à ma mère, au *Big Bazar*. Aujourd'hui, on va acheter des dizaines de bouquins. Si chacun d'entre nous dispose d'un sac pour y glisser ses achats, ça fera déjà ça de gagné pour l'environnement.

– Toi et ton environnement…, a lancé Antoine Gaudet en entrant dans la rame du métro.

Imperturbable, Hugo a poursuivi ses explications :

– Un sac en plastique est fabriqué à partir de pétrole, une ressource non renouvelable. En plus, si on ne le recycle pas, ça lui prend 400 ans pour se désagréger dans la nature. Les sacs réutilisables sont plus écologiques. Mais j'ai supposé que personne n'en apporterait.

– Eh bien, raté ! a lancé joyeusement Kelly-Ann. Car madame Robinson a apporté des sacs en toile.

Hugo Lacombe ne manque jamais une occasion de défendre la planète Terre, cher journal. Quant à Kelly-Ann Garaud, elle ne loupe pas une occasion de défendre sa chère madame Robinson.

Clic!
Photo!

On est descendus à la station Bonaventure. Tandis qu'on faisait la file pour entrer au Salon du livre, Hugo nous a distribué un sac. Nos enseignantes, elles, nous ont remis un billet de 20 $. Je l'ai rangé avec les sous de moumou dans ma jolie sacoche en tissu beige (cadeau d'oncle Alex pour mes 9 ans). Madame Robinson nous a rappelé qu'on devait se retrouver à 11 h au point de rencontre (un peu à gauche de l'entrée dans la salle principale du Salon du livre, près de l'escalier qui mène aux toilettes). Il était 9 h 05. Presque deux heures de liberté ! Yé !

Ouvrant le programme du Salon du livre, j'ai consulté la liste des auteurs en séances de signature.

– Jutras, Mathieu! ai-je lu tout haut. Jeudi, de 9 h à 11 h. Stand…

Eduardo m'a interrompue.

– Toi aussi, tu veux aller voir l'auteur des *Zarchinuls*?

– Oui. Et me procurer son dernier tome.

– Pour la classe?

– Non, pour ma collection de BD.

– Dans ce cas, moi, je le prendrai pour notre coin lecture!

Patrick nous a interpellés.

– Hey, si on faisait la course? Le premier qui a fait signer son livre par Mathieu Jutras a gagné.

– Le premier ou la première! a lancé Africa d'un air de défi.

– Pfff… filez là-bas si vous voulez, ai-je commenté, moi je…

Mais Afri a ajouté:

– Allez, Alice, on va prouver aux garçons qu'on court plus vite qu'eux!

– C'est ce que tu crois! a riposté Patrick Drolet avant de s'élancer dans le Salon avec Eduardo.

– Go! s'est écriée Africa en se précipitant à leur poursuite, suivie par Kelly-Ann, Marie-Ève et moi.

On a fait du slalom entre les visiteurs qui déambulaient dans les allées. Très vite, j'ai perdu de vue les gars mais aussi Africa-la-gazelle et Kelly-Ann-les-longues-jambes. Marie-Ève m'a lancé:

– Tu te rappelles du numéro du stand ?

– Non.

– Voilà le kiosque d'information. Allons le leur demander.

Ma *best* et moi, on a suivi les indications de l'homme au comptoir. Au stand des éditions Rire & relire, des élèves du secondaire étaient agglutinés autour de l'auteur des célèbres *Zarchinuls*. D'autres jeunes faisaient la file. Parmi eux, Africa et Kelly-Ann, bras levés, m'ont fait le signe de la victoire. Patrick, qui se trouvait derrière elles avec Eduardo, leur a tiré la langue en louchant affreusement.

Clic !
Photo !

– Va payer ton livre, Alice, m'a proposé Marie-Ève. Je vais rejoindre nos amies dans la file et on garde ta place.

Sur un cube couvert de BD des *Zarchinuls,* il y avait des dizaines d'exemplaires du tome qui venait de sortir. Il s'intitulait *Pas encore les Zarchinuls ?* Oh, et sur la pile d'à côté, une couverture que je n'avais encore jamais vue a attiré mon attention. Il s'agissait du tome 13, *Les Zarchinuls sèment la zizanie.* J'ignorais qu'un autre volume était paru entre le n° 12 (*Les Zarchinuls en folie*) et le tout nouveau qui était alors le 14ᵉ ! Quelle bonne surprise !!! Comme chaque BD coûtait 14,95 $, je disposais d'assez de sous pour les acheter toutes les deux.

Après être passée à la caisse, j'ai rejoint Kelly-Ann et Africa (ainsi que Marie-Ève, qui s'esclaffait avec elles).

– Merci les filles ! ai-je dit à l'attention de mes amies qui avaient gardé ma place.

– Ça nous a fait plaisir, a répondu Africa. Bon, Kelly-Ann et moi, on part explorer le Salon. À + !

Dans la file, je papotais avec Marie-Ève. Tout à coup, TILT !

– Dommage qu'il ne me reste pas plus d'argent, ai-je dit à ma meilleure amie.

– Comment ça ?!

– J'aurais pris un autre exemplaire du nouveau tome pour Karim. C'est bientôt son anniversaire. Lui aussi collectionne *Les Zarchinuls*. Cependant, comme l'auteur de cette série est québécois, je ne sais pas si on trouve ses livres au Liban.

– Ce serait un beau cadeau, en effet, a acquiescé Marie. Mais rien ne t'empêche de lui en acheter un dans une librairie.

– Si j'avais pu me le procurer aujourd'hui, je le lui aurais fait dédicacer…

RE-TILT !

– J'ai trouvé la solution ! me suis-je exclamée. Le tome 13 sera pour moi et le 14, je l'enverrai à Karim.

La file avait avancé. C'était presque mon tour. Derrière deux ados inconnues, j'observais Mathieu Jutras à la dérobée. Ses cheveux étaient coiffés en brosse. Il portait un *piercing* au menton et un tee-shirt noir sur lequel se détachaient Zébulon, Zelda & cie. J'avoue que je n'avais jamais vraiment remarqué son nom sur la page couverture de ses BD. Car moi, ce qui me passionne, ce sont les tribulations de ses personnages. *Clic ! Photo !* Lorsque la fille devant moi s'est éclipsée en emportant un signet dédicacé comme s'il s'agissait d'un précieux trésor, je me suis retrouvée presque nez à nez avec l'auteur à succès.

– Allez, avance ! a lancé Patrick dans mon dos. Il ne va pas te manger.

Pfff !!! Me tournant vers lui, j'ai murmuré :

– J'le sais bien ! Mêle-toi de tes affaires.

Mathieu Jutras m'a accueillie chaleureusement.

– Bonjour ! Comment t'appelles-tu ?

– Alice.

– Connais-tu *Les Zarchinuls*, Alice ?

– Oh oui ! J'ai lu toutes vos BD. Elles me font rire aux larmes !

– Cool ! Et quel est ton tome préféré ?

Comme un cri du cœur, j'ai lâché :

– Je les aime tous !

Un sourire aux lèvres, l'auteur-illustrateur a commencé à me dédicacer *Les Zarchinuls sèment la zizanie*. C'est alors que, déboulant comme un boulet de canon, Jonathan lui a arraché ma BD des mains. Résultat : un long trait de crayon zébrait la page. Zut !!!

– Voyons Joey, qu'est-ce qui te prend ?! lui a lancé Marie-Ève qui se tenait un peu en retrait.

– L'autre jour, madame Robinson m'a interdit d'écrire dans un livre. Et ce gars abîme le livre tout neuf d'Alice !

Monsieur Vadeboncœur, qui suivait son fils à la trace, lui a repris ma BD et me l'a rendue. Puis, prenant notre ouragan national par l'épaule, il lui a expliqué :

– Tu es gentil, mon grand, d'avoir voulu défendre ton amie. Mais ce n'était pas nécessaire. Car monsieur Jutras est l'auteur de ce livre. Alice lui a demandé d'écrire un mot pour elle sur la première page. Ça s'appelle une dédicace.

– 'Scuse-moi, Alice, m'a dit Joey avant de s'éloigner.

J'ai remis mon livre à Mister Zarchinuls qui a complété sa dédicace. *Clic! Photo!*

> À Alice,
> La zizanie, c'est jamais drôle, sauf quand ce sont les Zarchinuls qui la sèment! Hi hi hi!
> Mathieu J.

Dessous, en quelques coups de crayon, il avait croqué le petit Zadig Zarchinul qui me tendait une fleur avec un sourire gêné. Trop *cute*! Mais, comme on est dans l'univers délirant des *Zarchinuls*, le cœur de la fleur contenait… une face de cochon! Et sa tige était… en forme de queue en tire-bouchon (ça plairait à Caro!).

Après avoir remercié monsieur Jutras, je lui ai passé le tome 14. Ignorant les Pated qui trépignaient d'impatience, j'ai demandé à l'auteur de le dédicacer pour les 12 ans de mon ami Karim.

Ensuite, laissant la place aux Zimpatients, j'ai entendu monsieur Jutras s'informer de leur prénom.

– Patrick Maximilien Stanislas, a dit Pat.

– Stanislas, c'est ton nom de famille?

Patrick + Eduardo = Les Pated.

– Non, mon nom de famille, c'est Drolet. Et mon prénom :
Patrick Maximilien Stanislas.

Sans plus sourciller, Mathieu Jutras a écrit sur son signet :

À Patrick
Maximilien
Stanislas

Car il n'y a pas de place, sur un mince signet, pour tout
marquer sur la même ligne.

– Merciii! s'est exclamé Pat, puis il a bondi vers Marie-
Ève et moi en se tordant de rire.

– Il faut toujours que tu fasses le malin! lui ai-je reproché.
Pourquoi as-tu menti à l'auteur? C'est pas gentil de te
moquer de lui.

– Je ne lui ai pas menti! a protesté le clown de la 6e B. Ce
sont les trois prénoms inscrits sur mon acte de naissance.
Tu veux que demain, je t'en apporte une photocopie pour
te le prouver?

PMSD est un cas désespéré, cher journal…

*Il y a les clowneries, les niaiseries et les pitreries.
Et j'ajoute un nouveau mot à la liste : les patrickeries.*

Bon, les « patrickeries », ça suffit. J'ai ouvert la BD
destinée à Karim. L'illustrateur avait représenté Zelda
Zarchinul portant un gâteau dégoulinant de crème garni
de 12 bougies allumées. Le problème, c'est que, glissant
sur une peau de banane, Zelda perdait l'équilibre (et du
coup, le gâteau aussi…). Karim allait adorer. Et la dédicace, elle, disait :

On s'est rendues au stand des éditions Méli-Mélo. En effet, ma BFF, que *Les Zarchinuls* laissent indifférente et qui s'était montrée ultra-patiente, espérait trouver le nouveau tome de la série *Passion équitation*. (Violette lui avait annoncé qu'il était sorti hier en librairie.) Remarquant une jeune fille blonde portant un tee-shirt à l'effigie de la maison d'édition, Marie-Ève lui a demandé où se trouvaient les livres de l'auteure Terri Lund. Avant qu'elle n'ait eu le temps de lui répondre, une voix mélodieuse, derrière nous, a dit :

– Hello ! Je suis Terri Lund.   *Surprise !!!*

On s'est retournées. Assise à une table, une dame de l'âge de ma mère nous souriait. Son teint était basané. Ses cheveux dorés étaient relevés en chignon. Elle portait des boucles d'oreilles en argent et turquoise, un boléro en jeans sur un chemisier à carreaux bleus et blancs, une longue jupe en jeans à volants et des bottes western. Marie-Ève était bouche bée. Son auteure préférée, qu'elle imaginait vivre à des milliers de kilomètres de Montréal, se tenait devant elle !

On a attendu notre tour dans la file. La jeune employée blonde bavardait avec les fans de Terri Lund pour les faire patienter. Après s'être fait dédicacer *Des hennissements dans la nuit,* mon amie a remercié la romancière et lui a déclaré :

– Comme les aventures de Kenza et Sandy se déroulent dans les montagnes Rocheuses et que vos livres sont traduits de l'anglais, je pensais que vous étiez une Américaine qui ne parlait pas le français. Jamais je n'aurais pensé vous rencontrer ici !

L'auteure lui a répondu, dans un excellent français mais avec un accent aussi chantant que celui de Miss Twigg :

– On ne peut pas toujours se fier aux apparences, Marie-Ève. Je suis effectivement américaine et je vis dans l'état du Wyoming. Cependant, ma mère est québécoise et elle m'a toujours parlé en français. Et cette année, j'ai été invitée par le Salon du livre de Montréal à l'occasion du lancement de la traduction française de mon dernier roman.

Les yeux brillants, mon amie lui a demandé combien sa série compterait de tomes.

– Je n'en sais rien, a dit Terri Lund. J'achève le volume 10 et je me réjouis déjà à l'idée de me plonger dans l'écriture du suivant. J'ai grandi à Cheyenne. Mon mari est cow-boy. Avec nos trois adolescents, nous vivons dans un ranch. Ce ne sont donc pas les idées qui manquent !

Serrant son livre sur son cœur, Marie-Ève a affirmé avec ferveur :

– Tant mieux ! Comme ça, je vais pouvoir vous lire encore très longtemps !

– Moi aussi, j'adore vos romans! ai-je signalé à la sympathique écrivaine.

Celle-ci m'a dédicacé un signet, puis la jeune fille blonde nous a pris en photo avec mon iPod, Marie-Ève, Terri Lund et moi. On allait s'éloigner quand, prise d'une inspiration soudaine, je lui ai demandé quand le prochain tome sortirait au Québec.

Clic!

– *Les mustangs sauvages* sera disponible en français au mois de février, m'a répondu la romancière.

Quel scoop!

Marie-Ève et moi, on s'est arrêtées à un stand où on vendait de belles cartes. Avec les sous qui me restaient, j'ai décidé d'en acheter une pour l'anniversaire de Karim. Ma préférée était celle où on voyait deux ados de dos, sur fond de coucher de soleil. La fille posait tendrement sa tête sur l'épaule du gars.

– J'aime celle-là, ai-je confié à ma BFF. Mais tu ne trouves pas ça trop…

– Trop quoi?

– Trop osée.

Marie-Ève a pouffé de rire.

– Osée?! Voyons, Alice, cette carte n'a rien d'osé. Par contre, elle est 100 % romantique. Tu es toujours amoureuse de Karim?

– Oui. Mais quand on s'écrit des courriels ou qu'on se parle par Skype, on est comme avant.

– Comme avant???

– Avant qu'on ne tombe amoureux. Du temps où on était juste des amis. Du coup, je fais semblant de rien.

– Cette carte est vraiment belle. Et puis, Karim va avoir 12 ans et pas 6. Si tu la lui envoies, il comprendra que tes sentiments envers lui n'ont pas changé.

– C'est gênant…

– Moi, je ne trouve pas. Écoute, Alice, fais ce que tu veux !

Ma meilleure amie avait raison : il faut avoir le courage de ses convictions. D'ailleurs, Karim n'est pas du style à être effarouché par une carte 100 % romantique. J'allais juste la dissimuler afin que les autres ne l'aperçoivent pas. Pour que Gigi & cie ne se moquent pas de moi. Et aussi parce que l'amour, c'est personnel. Je me confie à Marie-Ève, mais avec elle, pas de soucis. Elle sait garder un secret.

À côté de la caisse, il y avait quelques très grandes cartes. TILT !

– Je vais en prendre une pour Karim.

– Encore ?!

– Celle-ci sera destinée à notre classe. Je demanderai à tout le monde de la signer.

– Bonne idée ! s'est exclamée mon amie. Et moi, j'irai trouver Simon pour qu'il la signe aussi.

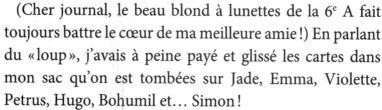(Cher journal, le beau blond à lunettes de la 6ᵉ A fait toujours battre le cœur de ma meilleure amie !) En parlant du «loup», j'avais à peine payé et glissé les cartes dans mon sac qu'on est tombées sur Jade, Emma, Violette, Petrus, Hugo, Bohumil et… Simon !

– Oh, Marie-Ève! a lancé ce dernier. J'ai vu un superbe livre sur les chevaux dans un stand au fond du Salon.

Saisissant au vol cette occasion inespérée de se retrouver seule avec son *chum,* Marie a dit :

Clic !

– Peux-tu me le montrer, s'il te plaît ?

Photo !

– Avec plaisir ! a-t-il répondu, ravi.

– Ça ne te dérange pas, Alice, si j'accompagne Simon ?

– Non, non, vas-y ! On se retrouvera à 11 h.

Et tout heureuse pour mon amie, je lui ai fait un clin d'œil complice. Puis elle s'est éclipsée avec Simon.

Deux minutes plus tard, j'ai acheté le roman *Treize petites enveloppes bleues* avec les sous de madame Robinson. Attirée par la couverture, j'avais parcouru des yeux le résumé du livre, à l'arrière. Cette mystérieuse histoire d'enveloppes et de voyages piquait ma curiosité. Et aussi celle de Jade, qui, du coup, s'est procuré la suite (*La dernière petite enveloppe bleue*).

Dans un stand voisin, on a retrouvé le reste de notre classe (sauf Marie-Ève, bien entendu).

Gigi Foster jubilait. Elle nous a raconté comment, alors qu'elle se faisait dédicacer le dernier tome des *Nombrils,* la télé était venue les filmer, elle, Magalie, Chloé et les créateurs de la série, Delaf et Dubuc. Un journaliste leur avait posé des questions. Plusieurs de mes amis ont entouré les «vedettes» du jour. Moi, ça ne m'intéressait pas de savoir quand mon ennemie publique n° 1 et ses acolytes passeraient à l'écran. M'éloignant de quelques pas, j'ai commencé à feuilleter un manga.

Une horde d'ados a alors envahi le stand. L'un d'entre eux s'est exclamé :
– Cathy ?!
– Oh, Noah !
Stupéfaite de tomber par hasard sur son amoureux de l'an dernier qu'elle n'avait plus revu depuis la fin de l'année scolaire, Catherine Frontenac ne savait pas trop quoi dire. En fait, ce qui était surtout gênant pour elle comme pour Noah Robitaille, c'était la présence de leurs amis respectifs. Après s'être raclé la gorge, le beau Noah a lâché :
– Ça fait longtemps…
– Très longtemps, a répondu CF en rougissant sous ses taches de rousseur. Depuis la fin de ta 6e année. Tu vas à l'École internationale, maintenant ?
– C'est ça.
– Et ça va, en 1re secondaire ?
– Oui, ça va.
Baissant la voix, il a ajouté :
– Dis, tu veux qu'on se voie samedi au parc ?
Avant que Catherine Frontenac n'ait eu le temps de répondre « oui », l'autre Catherine s'est immiscée dans la conversation.
– Samedi, c'est pas possible. J'ai déjà invité Catherine chez moi.
Tandis que CF lançait un regard furibond à CP, un gars du groupe qui entourait Noah a lancé, d'un air ironique :

– *Yo man!* Tu sors quand même pas avec une fille du primaire?!

Et un autre s'est écrié:

– Grouillez-vous, sinon l'autobus va partir sans nous!

C'est ainsi que Noah Robitaille a disparu avec les autres.

Se tournant vers sa meilleure amie, Catherine Frontenac a articulé d'un ton glacial:

– C'était à moi que Noah parlait. Pourquoi es-tu intervenue?

– Ben, pour te rappeler que samedi, on avait convenu de s'atteler à notre recherche sur le panda. Et aussi de commencer à écrire notre livre de cuisine.

Levant les yeux au ciel, Catherine Frontenac a rétorqué:

– Je ne l'avais pas oublié. Mais le panda et tes maudites recettes pouvaient bien attendre. On aurait pu reporter ça à dimanche, par exemple. Depuis que Noah a quitté notre école, je n'ai plus eu l'occasion de le croiser. Et parce que tu t'en es mêlée, maintenant, c'est fini, je ne le reverrai jamais!

La voix vibrante de colère, elle a accusé l'autre Catherine:

– En plus, ce n'est pas la première fois que tu me fais le coup!

– Comment ça?!

– Rappelle-toi, en maternelle, quand Mélodie Dargy voulait jouer avec moi, tu faisais tout pour l'en empêcher!

Catherine Provencher n'a rien répondu. Alors Catherine Frontenac a poursuivi:

– La vérité, c'est que tu es jalouse de moi. Tu ne me laisses pas d'air. Je suis ton amie, d'accord, mais j'ai quand même le droit de respirer !

– Jalouse ?! Pas du tout. Je ne t'ai jamais interdit…

– Pas interdit, non, mais c'est tout comme. Depuis toujours, tu me colles. Tu exiges l'exclusivité de mon amitié.

CP a murmuré :

– Tu es injuste, Catherine. Tu me fais beaucoup de peine.

– Et toi, tu me…

La voix de CF s'est étranglée. Elle a serré les poings avant d'éclater en sanglots. Tournant les talons, elle s'est enfuie. Deux secondes plus tard, elle avait disparu dans la foule.

On a entouré la pauvre Catherine Provencher. Hébétée, elle s'était mise à trembler. Emma a posé sa main sur son épaule.

– T'en fais pas, ça s'arrangera, lui a-t-elle assuré.

– Je ne pense pas, a dit CP tristement. On dirait qu'elle me déteste. Elle a tout cassé…

– Eh, les filles, il est 11 h moins deux, nous a signalé Bohumil. Il est temps d'aller retrouver les profs.

Tout le monde était au rendez-vous (y compris les deux tourtereaux qui étaient de retour). Seule CF manquait à l'appel.

– Savez-vous où elle se trouve ? nous a demandé madame Robinson dont les sacs, à ses pieds, étaient remplis de livres.

– Non, elle est partie en courant, a répondu Jade.

– Comment ça ?! s'est exclamée Marie-Ève.

Baissant la tête, CP a lâché :

– On s'est disputées.

Eduardo s'en est mêlé.

– Vous ne vous êtes pas vraiment chicanées. C'est plutôt l'autre Catherine qui t'a fait une scène.

– C'est vrai, elle était déchaînée ! a renchéri Stanley.

– Mais tout ça, c'est de la faute de Catherine Provencher, a affirmé Éléonore.

– Elle a tout fait capoter, a renchéri Audrey.

Notre enseignante avait l'air hyper embêtée.

– On démêlera ça plus tard mais pour le moment, il FAUT retrouver Catherine. Avez-vous une idée où elle a pu aller ?

Désignant les marches en béton, Chloé Miville-Deschênes a signalé :

– Je l'ai vue monter les escaliers.

Violette a hasardé une explication :

– Elle est peut-être passée aux toilettes pour se rafraîchir le visage.

– Je vais aller voir, a déclaré madame Robinson. Ne bougez pas d'ici, s'il vous plaît. Je vous laisse mes sacs de livres.

– Je peux venir avec vous ? lui a demandé Jonathan.

– Non, tu restes avec…

Puis, elle s'est ravisée.

– Oui, bonne idée, Jonathan. Tu m'aideras à chercher Catherine.

– D'accord !

– Je vous accompagne, a dit monsieur Vadeboncœur.

33

– Et moi aussi, s'est écriée madame Pescador. Vous, mes élèves et ceux de madame Robinson, restez ici avec la maman de Mila.

Notre ouragan a foncé vers l'escalier, suivi par son père et nos enseignantes qui ne voulaient sous aucun prétexte le perdre de vue. Pas question d'égarer un 2ᵉ élève de l'école des Érables au Salon du livre de Montréal!

Un quart d'heure plus tard, Joey, son père et les profs étaient de retour. Derrière eux marchait la fugitive, méconnaissable. Ses cheveux étaient décoiffés et ses yeux, rouges et gonflés. Elle fixait le sol d'un air buté. On est parti vers la station Bonaventure.

Quand le métro est arrivé, Catherine Frontenac s'est engouffrée au fond de la rame. Elle est restée debout, tournant la tête vers la fenêtre pour ne pas nous voir. Encore sonnée par la charge à fond de train de sa meilleure amie, Catherine Provencher, assise sur un siège face à la porte, avait l'air d'un zombie. Stanley a interrogé Jonathan:
– Où avez-vous trouvé Catherine, finalement?
– Madame Robinson est allée voir aux toilettes, mais elle n'y était pas. Dans la salle de presse, personne ne l'avait vue. Alors, on a monté les quelques marches qui mènent à une longue allée. On aurait dit une piste de course. Mais quand je me suis élancé, mon père m'a vite rattrapé. Ce passage surplombe le Salon du livre. On voit tout, de là-haut. Ça m'a donné envie de grimper sur le rebord et de marcher les bras écartés, pour garder l'équilibre. Mais

mon père m'a rappelé que ce n'était pas le moment de jouer les funambules et de risquer de tomber. Il fallait chercher Catherine. À droite, des portes donnent sur des salles de conférence. Celles-ci étaient vides. Sauf la dernière où Catherine était assise contre le mur. La tête cachée dans ses bras, elle pleurait et…

À cet instant, le métro est entré dans la station Jarry, ce qui a distrait Joey qui en a oublié de raconter la suite. Tant mieux parce que CF était déjà suffisamment atteinte dans sa dignité comme ça.

Gigi Foster a lâché d'un ton sarcastique :
– Une si belle amitié… Dommage que ça se termine de cette façon.
– Ne tourne pas le couteau dans la plaie, a murmuré Africa.
Kelly-Ann, quant à elle, était optimiste.
– C'est pas parce qu'on se dispute qu'on n'est plus amies. Demain, vous verrez, la chicane sera terminée.
Et on est retombées dans le mutisme jusqu'à l'école.

À la cafétéria, Catherine Frontenac s'est assise à la table du fond. Par la suite, on ne l'a plus revue. En arrivant en classe, Jade a demandé à madame Robinson où se trouvait CF.
– Chez le directeur, a répondu notre enseignante. En se dissimulant au Salon du livre, votre amie a fait preuve d'un comportement imprudent. C'est inacceptable.
Je crois qu'elle en voulait aussi à CF d'avoir gâché la fin de la sortie scolaire. Lorsqu'elle nous a demandé de lui montrer les livres qu'on avait choisis pour notre coin

lecture, Jonathan s'est écrié : « À l'abordage ! » en brandissant un roman portant ce titre. Lui qui déteste lire était néanmoins très fier de son acquisition. Notre enseignante, qui semblait avoir oublié le problème « Catherine F. », s'est montrée enthousiaste devant nos choix.

Madame Robinson nous a donné du temps pour découvrir et ranger nos nouveaux bouquins sur les étagères de la bibliothèque. Puis, elle a déclaré que cette journée serait entièrement dédiée aux livres. Alors, pendant la demi-heure qui restait, elle nous a lu (et expliqué, car l'histoire n'est pas toujours facile à comprendre) le 3e chapitre d'*Un sac de billes*. Pauvre Joseph ! Lui et son frère Maurice ont notre âge mais leur père leur ordonne de quitter la maison. Pas parce qu'il ne les aime pas, bien au contraire. Il veut que ses deux plus jeunes fils aient une chance d'échapper à l'ennemi. Comment ? En ne révélant sous aucun prétexte qu'ils sont juifs. Et en tentant de rejoindre leurs grands frères à l'autre bout de la France, où ils seront plus en sécurité. J'ai hâte de savoir la suite.

Ce soir, papa nous a emmenés, mes patins d'il y a deux ans et moi, au magasin de sport. La première paire de patins que j'ai essayée m'allait parfaitement. On les a fait aiguiser ainsi que mes anciens qui sont destinés à Caro. Elle et moi, on est prêtes à s'élancer sur la glace demain après l'école ! ☺

Vendredi 19 novembre

Catherine Frontenac était absente ce matin. Violette pensait qu'elle avait été suspendue pour une journée à cause de son comportement d'hier. Madame Robinson nous a affirmé que non. CF avait reçu un simple avertissement de la part de monsieur Rivet. Moi qui espérais que les Catherine se réconcilient avant que la cloche ne sonne le début des cours, c'était raté. Catherine Provencher a fait comme si de rien n'était. Mais il fallait être aveugle pour ne pas s'apercevoir qu'elle avait le cœur en miettes.

Tandis qu'on s'habillait pour descendre dans la cour, les conversations allaient bon train. Catherine Frontenac était-elle malade ? Ce serait une drôle de coïncidence. La brouille avec Catherine Provencher devait être la cause de son absence... CF était-elle gênée de ce qui était arrivé ? Était-elle encore en colère ? Mais alors, quand cela allait-il se régler ? Et comment ? Décidément, ça n'augurait rien de bon. Dans mon casier, j'ai pris le sac qui contenait la grande carte pour Karim.

À la récré, Africa, Kelly-Ann, Violette et d'autres ont entouré CP. Je m'apprêtais à la rejoindre, moi aussi, quand Marie-Ève m'a entraînée sous l'érable.
– Laisse-la donc.
– Pourquoi ? Catherine Provencher vit une véritable épreuve. Elle a besoin d'être soutenue par ses amies.

– D'après ce que j'ai entendu, elle a surtout besoin de réfléchir à ce qu'elle a dit, a rétorqué Marie-Ève.

J'ai protesté :

– Mais justement, elle n'a pas dit grand-chose, comparée à Catherine Frontenac !

– Si Catherine Provencher ne s'en était pas mêlée, Catherine Frontenac serait ici, parmi nous, heureuse à l'idée de revoir Noah, demain. À la place, elle a subi un affront humiliant devant lui. Et maintenant, elle se morfond chez elle. Tout ça à cause de sa soi-disant meilleure amie ! Si tu m'avais fait un truc pareil, Alice, je ne sais pas si je te le pardonnerais !

Oups ! Je savais que ma *best* pouvait se montrer rancunière, mais pas à ce point-là. Même si elle n'avait pas assisté à la chicane, elle prenait cette affaire très à cœur. Un peu trop, même.

– Je suis d'accord avec toi, Marie-Ève, a déclaré Éléonore qui venait d'arriver. Pauvre Catherine (F.), je la plains.

Comment Léo, qui est dans l'autre classe de 6e, était-elle déjà au courant de l'absence de CF ? Il est vrai qu'à l'école, les rumeurs se répandent comme une traînée de poudre.

Pour détendre l'atmosphère, j'ai sorti de mon sac la carte de fête géante pour Karim. Éléonore et Marie-Ève ont donc été les premières à lui écrire. Et comme elle l'avait promis, ma meilleure amie est allée trouver son amoureux pour qu'il la signe lui aussi.

Monsieur Gauthier, qu'on a croisé au 2e étage devant les escaliers, a ajouté quelques mots sur la carte destinée à son ancien élève. Quand la cloche a sonné la fin de la journée, tous ceux de ma classe l'avaient signée, sauf Violette.

– Il ne sait même pas qui je suis, avait-elle dit.

Par contre, Emma, qui ne connaît pas Karim elle non plus, s'est emparée de la carte et a commencé à écrire :

Bonne fête à toi, Karim. Tu n'as jamais antandu parler de moi mais moi oui vu que je suis arrivée à l'école des Érables cette année et que je fais party de la classe de 6e B. Maime si tu es parti vivre au loin, ta réputation est restée : il paraît que tu es un ga super. Alors, cher ga super, profite de ton anniversaire,
de Emma (Shapiro).

P.-S. – Moi ossi, j'aurai 12 ans en décembre, pas le 5 mê le 31.
P.-S. 2 – Au Liban, le gâteau de fête traditionnel est-il aux bananes, comme ici ?

Un petit mot sympa, même si l'orthographe de ma nouvelle amie est toujours aussi fantaisiste, malgré les dictées quotidiennes que nous donne madame Robinson. Et que veut dire Emma par « gâteau aux bananes traditionnel » ?!?! Au Québec, il y a toutes sortes de gâteaux de fête. Mais ils sont plutôt au chocolat qu'à la banane. TILT ! Dans la famille d'Emma, qui semble se nourrir principalement de bananes, chaque occasion spéciale est peut-être soulignée avec un gâteau aux   .

Elle ne devrait pas s'appeler Emma Shapiro mais Emma Banana !

Après l'école, nous avons marché jusqu'à l'aréna. Nous, c'est-à-dire Africa, Kelly-Ann, Caroline, Isaac, Naïma et moi. Eh oui, Naïma, la «petite» sœur de Kelly-Ann qui est en 4e année (elle a ma taille!), ainsi que son «petit» frère Isaac, qui se trouve dans la classe de Caro et a une tête de plus qu'elle, nous accompagnaient. Une fois sur place, j'ai aidé ma sœur à attacher ses patins. Elle s'est dépêchée de rejoindre Isaac et Naïma sur la glace. Moi, je suis entrée prudemment sur la patinoire. Après avoir fait quelques pas hésitants en me tenant à la rambarde, je l'ai lâchée. Très vite, j'ai retrouvé les bons mouvements. *Tchak tchak tchak tchak*... Jamais on n'aurait dit que je n'avais pas patiné depuis un an et demi! M'enhardissant, j'ai pris de la vitesse. Mes amies m'ont attrapé la main et on a fait des tours de patinoire.

Kelly-Ann nous a raconté qu'elle allait participer, dimanche, à un spectacle de patinage artistique, puis la conversation est revenue sur le sujet du jour: l'absence de CF. Comme plusieurs autres de la classe, Kelly-Ann et Africa trouvaient que ce qu'elle avait fait subir à CP était affreux. Moi, mes sentiments étaient partagés. D'une part, je comprenais la frustration de CF. D'autre part, celle-ci avait vraiment été bête avec CP. Ça ne se fait pas. Afri, Kelly et moi, on est d'accord sur un point: on espère que CF sera là lundi. Et qu'elle et CP vont pouvoir s'expliquer. Il est temps de tourner la page sur cet épisode désolant.

Le père d'Africa, qui était venu la chercher avec son taxi, nous a déposées devant chez nous, Caro et moi. Je le

connais depuis des années, même si je ne l'avais pas vu depuis belle lurette. Il est toujours aussi gentil et je le trouve très cool, avec ses longues dreadlocks réunies en queue de cheval. Bref, ma sœur et moi, on est arrivées en même temps que papa. Maman et Zoé n'étaient pas encore là. Débarquant dans la cuisine, Caroline a clamé :
– J'ai faim !

Dans le frigo, il ne restait presque rien. À part un bloc de tofu. Devant le danger qui nous guettait, mon père a décrété qu'on partait au supermarché.

On a pris une méga-pizza recouverte de sauce tomate (qu'on allait couper en 4) et tout ce qu'il fallait pour que chaque membre de la famille Aubry (à part Zoé, bien sûr) garnisse sa part à son goût. Caroline a demandé si on pouvait acheter du Citrobulles.
– Bien sûr, mon chaton, a répondu papa.

Yé ! Si c'était notre diététiste de mère qui avait été là à la place de poupou, je ne suis pas sûre qu'elle aurait accepté…

De retour à la maison, on s'attelait à la confection des pizzas sous l'œil intéressé de Cannelle lorsque maman et Zoé sont arrivées. Pendant qu'on dégustait notre repas (miam !), papa nous a proposé une soirée ciné maison.
– Pour une fois, je ne regarderai pas le film avec vous, leur ai-je annoncé.
– Comment ça ?! a fait ma sœur.
– Je meurs d'envie de me plonger dans l'album des *Zarchinuls* que j'ai ramené du Salon du livre.

Après avoir pris ma douche et enfilé mon pyjama (le bleu, dont les manches et les jambes deviennent trop courtes), je suis allée chercher du Citrobulles à la cuisine. De retour dans ma chambre, j'ai posé le verre sur ma table de chevet et me suis installée dans mon lit. Bien calée contre le coussin vert pomme, j'ai ouvert *Les Zarchinuls sèment la zizanie*. À la page 2, j'ai pouffé de rire. À la page 4, je rigolais franchement. À la page 9, je riais tellement que j'en avais les larmes aux yeux! Là, j'ai bu une gorgée de Citrobulles… qui est aussitôt ressortie par mon nez! Car, comme je m'esclaffais, la boisson gazeuse jaillissait en cadence de mes narines! Mais **aïe**, ces bulles qui éclataient dans mes sinus faisaient hyper mal. Je me suis mouchée, j'ai respiré un bon coup et j'ai repris l'album. En page 11, j'ai recommencé à me bidonner… Si j'étais médecin, cher journal, je prescrirais la lecture des *Zarchinuls* aux patients dépressifs.

Surgissant dans notre chambre, Caroline m'a ordonné d'un air furieux:
– Arrête de rire, Alice!
– Je n'y peux rien, me suis-je défendue. Ma BD est trop comique!
– Tu nous empêches d'écouter notre film! En plus, lui n'est pas drôle du tout.
– Ça raconte quoi?
– C'est l'histoire d'un bébé kangourou qui a perdu sa maman. Il s'enlise dans un marais plongé dans le brouillard. Et il a beau appeler à l'aide, personne ne vient.

Méchante situation, en effet. J'ai promis à ma sœur d'être plus discrète. Durant le reste de ma lecture, dès que le fou rire me gagnait, je plongeais sous ma couette. Hi, hi, hi! Ha, ha, ha, ha! Hou, hou, hou!

Marie-Ève, l'auteure Terri Lund et moi au Salon du livre de Montréal

Marie-Ève et Simon

Samedi 20 novembre

J'écrivais ma carte perso pour Karim quand moumou a fait irruption dans ma chambre, les bras chargés de vêtements. J'ai prestement tourné la carte côté bureau pour qu'elle ne voie pas les deux amoureux devant le coucher de soleil. Mais ma mère n'avait rien remarqué, même pas que sa fille avait rougi. Après avoir déposé la pile de linge fraîchement plié sur le lit de Caroline (qui, lui, est toujours fait), elle a jeté un regard autour d'elle.

– Quel bazar ici! s'est-elle exclamée. J'espère, Biquette, que tu profiteras du week-end pour faire du rangement.

Agacée qu'elle m'appelle encore Biquette, j'ai failli rétorquer:

– Ta pile de bouquins menace de s'écrouler sur ta table de chevet! Et ton porte-revues déborde de magazines, à côté de la cuvette des toilettes!

Mais je me suis retenue.

J'ai quand même protesté:

– C'est MA chambre!

– Et celle de ta sœur.

– Caro ne s'est jamais plainte.

– Je la trouve très tolérante, mais il y a des limites.

TILT! Croisant les bras, je me suis plantée devant ma mère. Un léger sourire flottait sur mes lèvres.

– Comme ça, tu trouves que ma chambre est en désordre?

Étendant son bras d'un geste théâtral vers la pièce aux murs turquoise et blancs, Astrid Vermeulen a déclaré:

– Regarde!

Oupsie!

Je suis allée chercher mon iPod sur ma table de chevet.

– Moi aussi, moumou, j'ai quelque chose à te montrer.

– Quoi?

– Un instant. Sois patiente.

Dix secondes plus tard, j'avais retrouvé les photos incriminantes de la chambre d'Emma. Je les ai fait défiler sous les yeux de ma mère.

– Quel capharnaüm! s'est-elle exclamée.

– Comparée à ça, tu dois admettre que ma chambre est normale, elle.

– C'est un véritable dépotoir! Je ne…

– Quoi!!! l'ai-je interrompue, outrée.

– Pas ta chambre, Alice, la pièce que tu viens de me montrer sur Internet. Mais moi, je te parle d'une vraie chambre de jeune fille, ici, à Montréal.

– Détrompe-toi, maman. Ces images, je ne les ai pas trouvées sur un site du style: «Les chambres les plus en désordre du monde». Non, il s'agit d'une vraie chambre d'une fille de mon âge, qui habite Montréal. J'ai moi-même pris ces photos chez une amie.

– Qui?! a dit ma mère en fronçant les sourcils d'un air soupçonneux, comme si sa préado chérie côtoyait soudain des jeunes peu fréquentables.

– Emma Shapiro.

– La fille aux boucles cuivrées et aux yeux couleur lagon qu'on a croisée l'autre jour au supermarché?! Et chez qui tu étais invitée le week-end dernier?

– Exactement.

– Écoute, Alice, range au moins tes vêtements dans ta garde-robe. Et fais-toi de la place sur ton bureau. Car on travaille mieux sur une surface dégagée.

Heureuse de m'en tirer à si bon compte, j'ai fait ce que moumou me demandait puis j'ai terminé d'écrire ma carte. Après l'avoir glissée dans le tome 14 des *Zarchinuls*, j'ai emballé le tout avec un joli papier cadeau bleu foncé. Ensuite, je me suis rendue à la poste, avec Cannelle en laisse. La grande enveloppe matelassée dans laquelle j'ai inséré la BD et la carte de la 6e B + les timbres m'ont coûté pas loin de 25 \$. De mon argent gagné chez les Bergeron, le mois dernier, il ne me reste même plus de quoi m'offrir le prochain numéro de *MégaStar*. Mais bon, l'amour n'a pas de prix, cher journal. L'amitié non plus, d'ailleurs. À l'heure qu'il est, mon colis est en route vers Beyrouth. D'après l'employée du comptoir postal, il devrait arriver à destination dans une dizaine de jours. Super, je suis dans les temps !

Cet après-midi, Caro et moi, on avait rendez-vous chez la coiffeuse pour égaliser nos cheveux. L'an dernier, j'ai été tellement traumatisée par la coupe hamburger que m'avait faite le coiffeur du bout de la rue que, maintenant, dès qu'une paire de ciseaux s'approche de mes tifs, j'angoisse. Mais Cindy n'est pas monsieur Tony. Quand on lui demande de ne pas enlever plus d'1 cm, elle coupe 1 cm, pas 10 !

Des nouvelles des coccinelles

Nos coccinelles séjournent toujours chez nous, cher journal. On les aperçoit parfois qui se promènent sur la fenêtre de la cuisine. J'en ai déjà vu une s'abreuver dans une goutte d'eau, près de l'évier, comme si elle se trouvait au bord d'un étang. Comment parviennent-elles à survivre sans pucerons ? Mystère et boule de gomme. Ce soir, ma tasse de chocolat chaud avait laissé un large cerne sur le comptoir. Ma sœur m'a appelée : « Viens voir, Alice ! La coccinelle boit du chocolat ! » D'après maman, le lait apporte du calcium, de la vitamine D et des protéines. Pourvu que ça aide la coccinelle à tenir le coup !

Dimanche 21 novembre

Après le dîner, maman et Caroline sont parties au Salon du livre. Papa vient de mettre Zoé au lit. Et il va l'imiter. Car sa sieste du dimanche est sacrée. Ça tombe bien car dans 5 minutes, j'ai rendez-vous avec Karim sur Skype. À +, cher journal.

15 h 03. Je me sens comme sur un nuage. Karim et moi, on a parlé pendant presque une heure. On a beaucoup ri. Mais lorsque je lui ai raconté la dispute des deux Catherine, il est tombé des nues.
– Elles se sont chamaillées ?! C'est bien la première fois que ça leur arrive.
Selon lui, tout s'arrangera demain. J'espère qu'il a raison. C'est drôle, Karim s'est rendu dernièrement avec sa classe au Salon du livre francophone de Beyrouth.

20 h 07. Ce soir, Marie-Ève m'a appelée. Elle était de retour d'Ottawa.

– Tu as passé un bon week-end ? lui ai-je demandé.

– Oui, mais il faut que je te raconte le truc qui me tombe dessus. Cet après-midi, alors que je préparais mon sac pour repartir à Montréal, j'ai cherché mon déodorant dans l'armoire de la salle de bain. Et devine ce que j'ai trouvé ? Un rouge à lèvres !

– Un rouge à lèvres ?! Et qui appartient à qui ?

– À la nouvelle amoureuse de mon père !

– Hein !

– J'ai tout de suite soupçonné la vérité. Pour en avoir le cœur net, j'ai posé la question à papa. Il a semblé embarrassé. Il aurait préféré attendre pour me parler de Nina. Mais comme elle avait oublié son rouge à lèvres, eh bien voilà, il m'annonçait la nouvelle. Ils se sont rencontrés début octobre, quand elle a commencé à travailler à la même compagnie pharmaceutique que lui. Il paraît que ça a été le coup de foudre…

Les coups de foudre, cher journal, ça me fait rêver. Mais mon amie n'avait pas l'air enchantée. Pour elle, ce rouge à lèvres (et ce qu'il implique) est comme un nuage noir dans un ciel bleu. Il y a un an, à la séparation de ses parents, Marie-Ève s'était sentie ballottée entre Laval, où elle vit depuis toujours, et Ottawa, où son père avait déménagé. Elle avait mis du temps à s'adapter à la situation. Sans compter l'épisode avec le *chum* de sa mère. Cependant, ces derniers mois, ma BFF avait retrouvé un bel équilibre et était heureuse. Et voilà que son père tombait amoureux… Marie, qui l'adore, a l'air un peu jalouse. J'espère que cette Nina sera gentille avec elle. Et qu'elle ne se montrera pas trop possessive vis-à-vis du beau Frédéric Letendre. Sinon, un affrontement est à craindre. À suivre…

20 h 43. J'allais me coucher quand ma mère est arrivée dans ma chambre, le téléphone à la main et un doigt posé sur ses lèvres. Pour ne pas réveiller Caro, je me suis éclipsée au sous-sol. Au bout du fil, il y avait Audrey. Elle aussi était tout énervée. Pas parce que son père a une nouvelle amoureuse (ça, c'était il y a deux ans), mais parce qu'elle avait appelé Catherine Frontenac pour prendre de ses nouvelles. Rien ne va plus, paraît-il. CF est non seulement en peine d'amour mais aussi en peine d'amitié. Audrey s'est exclamée :
– Imagine-toi, Alice, qu'elle ne veut plus revoir Catherine Provencher !
Abasourdie, j'ai lâché :
– Mais… c'est impossible ! Elles sont dans la même classe.
– Catherine Frontenac ne remettra jamais les pieds à l'école !

En remontant l'escalier, mes jambes flageolaient. J'ai pensé à Catherine Provencher. La pauvre, elle serait sous le choc, demain, lorsqu'elle apprendrait la décision de son ex-amie ! Et qu'allait-il advenir de Catherine Frontenac ? Peut-on changer d'école alors que l'année scolaire est déjà bien entamée ? Quel dommage ce serait qu'elle ne fasse plus partie de la 6ᵉ B ! Elle nous manquerait assurément, elle, son dynamisme, ses croquis inspirés dans les marges de ses cahiers et ses célèbres fous rires… Elle a toujours été intense, CF, mais cette fois, elle exagère. CP n'a tout de même pas commis un crime !

Lundi 22 novembre

Coup de théâtre ! Catherine Frontenac est arrivée en classe en même temps qu'Emma Shapiro, à l'instant où madame Robinson s'apprêtait à fermer la porte. Je suppose que ses parents l'avaient obligée à reprendre le chemin de l'école… Après avoir répondu au salut de notre prof, CF a regardé droit devant elle et est allée s'asseoir à sa place. CP a murmuré un « Bonjour Catherine ». Pour toute réponse, sa voisine a tourné la tête du côté de l'allée.

À la récré, Catherine Provencher n'en menait pas large. Elle avait présenté ses excuses à l'autre Catherine, mais s'était fait rembarrer. Je la plains. CP se reproche ce qu'elle a eu le malheur de dire, jeudi, devant Noah. Je crois qu'elle s'en veut à mort.

Catherine Frontenac avait dû demander à Bohu de changer de place avec elle. Car, de retour en classe, lui s'est installé à côté de Catherine Provencher tandis que CF s'est retrouvée à la gauche de Jonathan. Madame

Robinson ne s'en est pas mêlée. Avec elle, on a le droit de choisir notre pupitre.

Heureusement, Patrick et Eduardo nous ont changé les idées avec leur exposé sur le requin. Voici ce que j'ai retenu :

* Le requin est un poisson et non un mammifère comme la baleine.

* On le retrouve dans toutes les mers du monde.

* La plupart des requins sont carnivores, mais la majorité d'entre eux ne s'attaquent pas aux humains. (Comment le savoir, cher journal, quand tu te trouves nez à nez avec un squale ???)

* Leurs mâchoires sont garnies de centaines de dents réparties sur plusieurs rangées. Seule la première rangée est efficace. Les autres contiennent des dents de remplacement, au cas où une dent tombe ou se brise.

Plusieurs centaines de dents... Rien que d'y penser, ça me donne froid dans le dos. Pourvu que cette nuit, je ne fasse pas de cauchemar du style *Les dents de la mer* ! Car Eduardo nous a parlé de ce film de Steven Spielberg et montré l'affiche sur le iPad qu'il avait apporté pour leur présentation.

Après l'école, maman est venue nous chercher en fourgonnette, Caroline et moi. Direction : l'orthodontiste. Étendue sur le siège, j'avais à peine ouvert la bouche comme le Dr Malo me l'avait demandé, qu'il a prononcé son verdict.

– Ta mâchoire est trop étroite pour tes grandes dents, Alice. Tu as effectivement besoin d'un appareil dentaire.

« Mes grandes dents »… Il exagère. En rentrant à la maison, je me suis examinée dans le miroir de la salle de bain. Moi, je les trouve normales, mes dents. Je n'ai quand même pas des dents de cheval ! Ni de requin !!!

Alice vue par elle-même   *Alice vue par l'orthodontiste*

Moi qui avais encore un vague espoir d'échapper au traitement orthodontique, me voici confrontée à la dure réalité : le 17 janvier, mes dents seront munies de broches. Si tout se passe « bien », le traitement durera deux ans… Pendant ce temps, je ne pourrai plus mâcher de gomme, ni manger de bonbons, de chips, de popcorn… Déprime totale.

Décidément, c'est une journée dentaire, aujourd'hui, car Caro a une incisive qui branle. Et devant Zoé qui bave beaucoup, maman a prophétisé :

– Je crois qu'elle va recommencer à faire des dents.

Encore ! Mais il faut avouer qu'elle est si mignonne avec ses petites quenottes !

Zouzou est un bébé requin !

En soirée, j'ai révisé la leçon d'anglais avec mon père. Puis ma mère m'a donné des directives pour demain après l'école :

✓ Ne pas attendre Caroline qui sera à son premier entraî-
nement à la piscine. Moumou passera la prendre en
sortant de son yoga.
✓ Aller chercher Zoé à la garderie.
✓ Ouvrir à monsieur Rivet qui viendra livrer nos caisses
d'oranges après 17 h.

21 h 38. Il y a un quart d'heure, mes parents pensaient
que je dormais. Pendant que papa préparait sa valise (il
part demain matin en voyage d'affaires), lui et maman
parlaient doucement. Je les entendais car ma chambre est
juste à côté de la leur et les portes étaient entrouvertes.
Impossible de trouver le sommeil. Pas à cause des bribes
de la conversation qui parvenaient jusqu'à moi mais parce
que j'étais préoccupée. Qu'allait-il advenir des Catherine ?
Était-ce possible qu'une amitié de si longue date se brise
ainsi, bêtement, à cause d'une phrase de trop ?

Comme je me retournais une fois de plus dans mon lit,
j'ai entendu mon père s'exclamer un peu plus fort :
– 7 000 $?!
J'ai tendu l'oreille.
– Je te rassure, a déclaré ma mère. Le 17 janvier, c'est
seulement 1 000 $ qui passeront sur ma carte de crédit.
Les 6 000 $ restants, nous les verserons à raison de 250 $
par mois pendant deux ans.
Ils parlaient de mon traitement orthodontique !
– Quand même, a commenté papa, je ne m'attendais pas à
ce que ce soit si cher.

– Heureusement, chéri, que nous n'avons pas des triplées, a déclaré l'adepte des points positifs. Au moins, si Caroline doit elle aussi un jour porter des broches, nous aurons fini de payer celles d'Alice. Et si Zoé en a également besoin, ce sera après la fin du traitement de Caroline.

Avec toutes ses dents, notre bébé chéri n'échappera pas à l'orthodontie ; ça, c'est garanti !

– Bref, ce que tu es en train de m'annoncer, mon cœur, c'est qu'avec nos trois filles, nous risquons de devoir payer plus de 20 000 $ à l'orthodontiste ! a dit papa d'un ton qu'il essayait de rendre humoristique. Et c'est sans compter le toit de la maison qu'il faudra remplacer l'an prochain.

– Nous serons obligés d'emprunter de l'argent à la banque, Marc. Mais ne t'en fais pas, nous y arriverons. J'espère qu'Alice n'a rien entendu de notre conversation…

– Sois tranquille, elle dort depuis longtemps.

Gloups. Je me sentais comme le Petit Poucet qui avait surpris la discussion entre son père et sa marâtre, le soir où ils avaient décidé de l'abandonner, lui et ses frères, au plus profond de la forêt. Sept mille dollars… Papa a raison : mes « grandes dents » vont coûter une fortune. J'ai attendu quelques minutes puis je me suis rendue aux toilettes sur la pointe des pieds. En revenant, j'ai refermé la porte de ma chambre. J'ai allumé ma lampe de chevet et je t'ai écrit dans mon lit, mon fidèle journal. Bon, cette fois, je sens que je vais dormir comme un loir. À demain !

Mardi 23 novembre

Ce matin, je bavardais sous l'érable avec Hugo quand Catherine Frontenac est passée sans nous saluer. Suivie de près par Catherine Provencher.

Se tournant vers elle, CF s'est énervée.

– Arrête de me coller comme un petit chien !

– Tu as le droit de ne plus être mon amie, a répondu CP. Mais il faut quand même qu'on se parle.

Catherine Frontenac a répliqué :

– Fiche-moi la paix !

– Et notre travail sur le panda, qu'on doit présenter dans 13 jours ?!

– Ne compte plus sur moi.

Et, sans plus d'explications, CF s'est éloignée à grands pas. Bref, cher journal, ça ne s'arrange pas entre les deux Catherine.

Il paraît que CF a demandé à Africa et Kelly-Ann de faire partie de leur groupe de travail mais ces dernières ont refusé.

– J'aurais eu l'impression de trahir Catherine Provencher, m'a expliqué Africa plus tard.

Jade a dit non pour les mêmes raisons. Bohu n'y voyait pas d'inconvénient mais Violette n'était pas d'accord car ils avaient déjà presque terminé leur recherche sur l'éléphant.

Gigi Foster et Audrey voulaient bien que CF se joignent à elles pour faire l'exposé sur le gorille, mais Emma leur a fait remarquer que, comme elles étaient déjà trois, madame Robinson risquait de s'y opposer.

Plus tard, devant les casiers, CF a risqué la tentative de la dernière chance. S'adressant à Marie-Ève et à moi, elle nous a dit qu'elle avait envie de se documenter au sujet du loup. Je me sentais tiraillée. D'une part, j'avais envie de l'aider car elle traversait une mauvaise passe, mais d'autre part, je ne voulais pas faire de coup vache à Catherine Provencher. Cependant, sans me consulter, Marie-Ève s'est écriée :
– Bienvenue dans notre équipe, Catherine ! Comme nous passons seulement à la mi-décembre, nous n'avons pas encore commencé notre recherche.

Aïe. CF est allée informer madame Robinson du changement. Mais celle-ci a refusé net.
– Il n'en est pas question, Catherine. Comme convenu, je m'attends à ce que ton amie et toi, vous nous parliez du panda.

L'air plus renfrogné que jamais (enfin, depuis jeudi dernier), Catherine Frontenac a filé dans l'escalier. Moi, j'ai ressenti un profond soulagement. Mais aussi de la pitié pour C & C, condamnées à travailler ensemble dans ces conditions impossibles.

Après l'école, je suis passée par la garderie. Alors que j'arrivais dans le local des explorateurs, la gentille éducatrice s'est approchée de moi. Je lui ai demandé si ma petite sœur, qui s'amusait avec William, avait passé une bonne journée.

– Oui, a répondu Florence, mais il y a eu un incident après la sieste. Zoé a fait mal à Juliette. *Oups...*

– Comment ça ?!

– Elle jouait avec le camion rouge. Juliette a voulu le lui prendre mais Zoé a tenu bon. Juliette, frustrée, a poussé un cri de colère et a tiré encore plus fort. Pour lui faire lâcher prise, ta sœur lui a mordu la main.

– Je suis désolée pour Juliette ! ai-je dit à l'éducatrice.

Je ne lui ai cependant pas signalé que Zouzou avait « croqué » mon index la semaine dernière... Je ne veux pas que notre bébé chéri ait une réputation de cannibale !

C'est ainsi que je suis repartie vers la rue Isidore-Bottine, avec ma petite sœur pleine de dents tranchantes. Si je n'approuvais pas la méthode agressive qu'elle avait utilisée pour se défendre, j'étais quand même fière qu'elle ne se laisse pas faire. À la maison, Zouzou a réclamé à manger. Je l'ai installée dans sa chaise haute. En lui distribuant des rondelles de banane (ainsi qu'à ma chienne qui, bien sûr, en quémandait elle aussi), j'ai eu une idée : j'allais préparer une salade de fruits pour ce soir. Avec deux bananes, une poire, une pomme, quelques clémentines et du jus d'orange. C'est moumou qui allait être contente !

On a sonné à la porte. Cannelle s'est précipitée dans l'entrée en aboyant. Ça devait être la livraison d'oranges. Super, je pourrais en ajouter à mon dessert. Par mesure de précaution, j'ai grimpé l'escalier quatre à quatre. Arrivée dans la chambre de mes parents, j'ai écarté le store, juste pour vérifier. Une camionnette était stationnée devant chez moi. Un homme très grand et baraqué et un autre, qui, à côté de ce colosse, paraissait presque fluet et qui portait une courte barbe, déchargeaient des boîtes en carton sur le trottoir. C'était bien messieurs Gauthier et Rivet. Un 2e coup de sonnette a retenti. Ordonnant à ma chienne de se taire, j'ai couru leur ouvrir la porte.

– Bonjour Alice! a dit le directeur. Voici les cinq caisses que vous avez commandées. Où faut-il les déposer?

– Pourriez-vous en mettre quatre dans le salon et m'apporter la dernière dans la cuisine, s'il vous plaît? Je prépare une salade de fruits et j'ajouterai des morceaux d'orange.

– Quelle bonne idée! a commenté monsieur Gauthier en posant un des lourds cartons à côté de la table de cuisine. Ce sera délicieux avec ces agrumes tout frais! Oh, c'est la petite Zoé?

– Oui, ai-je répondu en détachant notre Zouzou chérie.

Puis je l'ai prise dans mes bras pour aller saluer les hommes qui devaient poursuivre leur tournée.

– Merci encore. Et bonne soirée!

Dans la cuisine, j'ai ouvert le carton. Sortant deux oranges, j'ai commencé à jongler. Zoé me regardait avec admiration. Lorsqu'elles sont tombées à terre, elle a tapé dans ses mains en réclamant:

– Encooo!

Ce qui veut dire: «Encore!» Après avoir admiré mon 2e essai de jonglerie avec trois oranges (non, cher journal, je ne suis pas encore prête à présenter un numéro au Cirque du Soleil!), Zoé a commencé à sortir une à une les oranges de la boîte. Elle les a fait rouler dans la cuisine. Je l'ai laissée s'amuser. Après tout, je n'aurais qu'à les ramasser plus tard. Et pendant ce temps-là, moi, je pouvais m'occuper de la salade de fruits. En fait, la préparation de mon dessert n'avançait pas vraiment car trois quartiers d'orange sur quatre atterrissaient dans ma bouche, dans celle de Zouzou (coupés en petits morceaux) ou dans la gueule de Cannelle. Miam! Monsieur Gauthier avait raison : ces oranges étaient délicieusement juteuses et parfumées.

J'ai été tirée de ma rêverie par un « Waaa! » enthousiaste! Le même genre de cri de victoire que pousse Zoé lorsqu'elle réussit à empiler ses blocs. Penchée sur la caisse, elle battait des mains d'un air ravi.

– Tu es contente? lui ai-je demandé.

– Ga, Ayiss! m'a-t-elle répondu en désignant l'intérieur du carton. Traduction : Regarde, Alice! Jetant un coup d'œil distrait dans la boîte… je suis restée figée de stupeur. Une araignée géante enserrait une orange avec ses pattes velues. Elle me fixait de ses multiples yeux.

HAAAAAAAA!!!!!!!!!!!!!!!!

Saisie par mon hurlement, Cannelle a recommencé à aboyer. Grimpant sur le rebord de la caisse, l'araignée s'est enfuie à toutes pattes en direction du frigo. J'ai pris ma petite sœur dans mes bras et j'ai couru en haut, suivie par la chienne. Après avoir claqué la porte de ma chambre, je me suis réfugiée sur mon lit avec Zoé. Je me suis mise à pleurer convulsivement. Zouzou s'est débattue et j'ai crié :

– **AÏE!**

Elle m'avait mordue!!! J'ai déposé ma mini-sœur à terre. À cet instant, Caro et maman ont fait irruption dans la pièce.

– Que se passe-t-il, Biqu... Alice ?! Tu es blessée ?

– Oui, ai-je gémi entre deux sanglots, en allant vite refermer la porte.

Je lui ai tendu mon bras.

– Mais, tu saignes! Et ce sont des traces de morsure! Cannelle t'a attaquée ?!

– Pas elle, Zoé.

– Encore! s'est exclamée maman.

Se tournant vers sa Prunelle, elle l'a grondée.

– Non, Zoé, on ne mord pas! Tu as fait mal à Alice!

– Elle a aussi mordu Juliette à la garderie, ai-je ajouté.

– Oh, non..., a soupiré maman, très embêtée.

Puis, s'adressant de nouveau à moi, elle m'a dit :

– Pauvre Biquette! Viens à la salle de bain ; on va désinfecter ton bras.

– Je refuse de bouger d'ici!

Et je me suis mise à trembler comme une feuille. Caro m'a dévisagée d'un drôle d'air. Elle a interrogé maman :

– Tu crois qu'Alice a la rage ?

– Non. On attrape la rage en étant mordue par un renard ou un chien enragé. Mais pas par un bébé qui fait ses dents.

Ma mère est sortie. Bondissant sur la porte, je l'ai refermée.

Trente secondes plus tard, maman était de retour avec une serviette humide et le désinfectant. Elle a commencé par essuyer mon visage bouffi de larmes.

– Pourquoi Zoé t'a-t-elle mordue ?

– Parce que je la serrais contre moi. À cause de l'araignée !

– Piquer une crise pareille pour une araignée ? Ah non, là, tu exagères, Alice ! Tu vas finir par transmettre ta phobie à tes sœurs ! À 11 ans, tu devrais pouvoir te dominer un peu.

– Mais maman, c'est une MYGALE !!!

– Une mygale… et puis quoi encore ! Tu prends la moindre araignée pour une mygale ! Mais si ça peut te rassurer, on n'en trouve pas au Québec.

– L'araignée dont je te parle n'avait rien à voir avec celles qui squattent le sous-sol. Elle était un million de fois plus grosse ! Elle est sortie de la caisse d'oranges et a disparu dans la cuisine !

Maman a soupiré :

– Et moi qui, après mon yoga, rêvais d'une soirée tranquille entre filles… Écoute, si je l'aperçois, ton araignée, je m'en occupe.

– Mais…

– Stop, Alice ! a-t-elle tranché net en quittant ma chambre avec son mini-requin. Je vais aller mettre le plat du souper au four.

J'ai refermé la porte, une fois de plus. Pourquoi ma mère ne me croyait-elle pas ?! Cette araignée était encore plus

monstrueuse que celle en plastique que Patrick Drolet avait dissimulée dans mon pupitre, le 1er avril! Caro m'a questionnée :

– Elle était grosse comment ?

– Comme ça! ai-je répondu en ouvrant ma main toute grande.

Ma sœur, qui ne craint pas plus les araignées que les coccinelles ou des papillons, a tout de même paru impressionnée. Mais sa curiosité a vite repris le dessus.

– Je voudrais bien la voir. Je vais aller faire mes devoirs dans la cuisine. À tantôt.

La réaction de ma mère m'avait fâchée et l'araignée hantait mes pensées. Impossible dans ces conditions de m'atteler à ma leçon sur le cycle de l'eau. À la place, j'ai ouvert mon cahier rose Betty et je t'ai tout raconté, cher journal. Moumou prétend qu'il ne peut s'agir d'une mygale. Moi, j'ai non seulement fait un exposé sur les mygales l'an dernier, mais en plus, il y a 10 jours, j'en ai vu deux de mes propres yeux dans la chambre de Benjamin Shapiro. Je peux donc t'assurer que l'intruse qui se balade actuellement chez nous EST une mygale. Et mon père qui est absent… Ma mère vient de crier « À table ! ». Mais pas question pour moi de remettre les pieds dans la cuisine.

Quand je le lui ai dit (elle était montée me chercher), maman s'est impatientée.

– Si c'est comme ça, Alice, tu te passeras de repas! J'en ai assez !

Et elle a refermé la porte plutôt sèchement. Tant pis! De toute façon, le stress m'a coupé l'appétit. Et puis, avec tous les quartiers d'orange que j'ai engloutis en préparant la salade de fruits, je ne risque pas de mourir de faim. Elle n'est pas gentille, Astrid Vermeulen. Je vais chercher Zoé à la garderie, je prépare un bon dessert santé, je sauve la prunelle de ses yeux d'un danger mortel et, pour toute récompense, je me fais réprimander! (Sans compter la morsure, qui me fait encore mal.) Bon, moi, je vais me coucher! Je voudrais déjà être demain:

• pour me retrouver en sécurité à l'école (et non plus dans la même maison qu'une mygale en liberté);

• pour que mon petit poupou chéri d'amour soit de retour et prenne les choses en main;

• parce que je pressens que cette nuit sera la plus longue de ma vie. Car JAMAIS je ne parviendrai à fermer l'œil en pensant à cette araignée. D'ailleurs, je REFUSE de m'endormir. Je n'ai pas envie de faire un cauchemar. J'en vis déjà un dans la réalité; ça me suffit.

Débarquant dans notre chambre, Caroline a allumé la lumière. Elle m'apportait un plateau-repas. C'était sympa! Il y avait une portion du délicieux plat aux épices marocaines de maman, un verre de lait et un bol rempli de salade de fruits. Je me suis installée à mon bureau pour manger. Après m'avoir souhaité bon appétit, ma sœur a ajouté:

– J'ai regardé partout, Alice, mais je ne l'ai pas vue, ton araignée. Elle a dû partir.

Partir où ? Elle doit plutôt se tapir dans un coin en attendant de nous sauter dessus. Et ça me revient, les mygales possèdent un venin puissant et mordent à l'aide de deux crochets !!! Je suis déjà victime des morsures de Zoé Aubry. Ça me suffit !!! Mais, comme maman me reproche de transmettre ma phobie à mes sœurs, j'ai gardé mes réflexions pour moi.

20 h 20. Caro a pris sa douche, enfilé son pyjama, et *sa* mère est venue la border. Lorsque Astrid Vermeulen s'est penchée sur moi pour m'embrasser, j'ai enfoui ma tête sous la couette.

21 h 03. J'ai ressenti une envie pipi. J'aurais beau me retenir, je ne tiendrais pas jusqu'à demain. J'étais bien obligée de sortir de ma chambre. Refermant soigneusement la porte derrière moi (je ne tiens pas à retrouver la mygale dans mon lit !), j'ai allumé la lumière du couloir puis celle des toilettes. Après avoir balayé la pièce du regard, je me suis dépêchée de faire ce que j'avais à faire. Puis je suis vite revenue me barricader dans ma chambre. À la lueur de ma lampe de chevet, j'ai continué à t'écrire dans mon lit, cher journal.

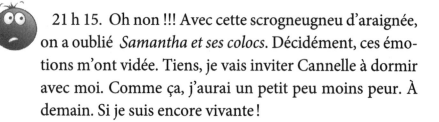

21 h 15. Oh non !!! Avec cette scrogneugneu d'araignée, on a oublié *Samantha et ses colocs*. Décidément, ces émotions m'ont vidée. Tiens, je vais inviter Cannelle à dormir avec moi. Comme ça, j'aurai un petit peu moins peur. À demain. Si je suis encore vivante !

Mercredi 24 novembre

Hier soir, donc, ma chienne ne s'est pas fait prier pour grimper dans mon lit. Remontant la couette sur nous deux, je l'ai tenue contre moi. Après avoir poussé un «mwouf» de satisfaction et m'avoir léché la joue, elle s'est rendormie. Sa respiration paisible m'a apaisée. Avant de sombrer dans un sommeil sans rêve, j'ai pensé: «Tant pis pour cette maudite araignée! Et surtout, tant pis pour cette maudite maman!» 💀

Ce matin, je me suis réveillée en sueur. Ça donne chaud de partager son lit avec Cannelle! Tout en m'habillant, j'ai dit à Caroline:
– Je n'ose pas aller dans la cuisine. Peux-tu m'apporter deux toasts beurrés à la confiture de fraises et un verre de lait, s'il te plaît?
Ma sœur ne s'est même pas moquée de moi. Franchement, elle est super. Car cinq minutes plus tard, elle était de retour avec ma commande + une banane.

À l'école, c'est toujours la morosité ambiante. Catherine Frontenac passe les cours à griffonner rageusement dans son agenda. Madame Robinson l'a rappelée à l'ordre, en début d'après-midi. Du coup, CF s'est mise à se ronger les ongles. Catherine Provencher, elle, a piteuse mine.

En rentrant à la maison, alors que j'introduisais la clé dans la serrure de la porte d'entrée, mon sang s'est glacé d'effroi. J'avais l'impression, non pas de pénétrer chez moi, mais plutôt dans l'antre de la mygale. Je me suis directement retranchée avec Cannelle dans ma chambre tandis que la valeureuse Caroline, elle, s'est portée volontaire pour aller nous chercher une collation dans la cuisine. J'ai téléchargé une nouvelle chanson (trop bonne) des Tonic Boys. Tout en la fredonnant, j'ai sorti mon cahier d'exercices de maths de mon sac d'école. C'est alors que Caro a crié. Ma sœur était en danger! N'écoutant que mon courage, j'ai dévalé l'escalier. Maman, qui venait d'arriver avec Zoé, s'est précipitée elle aussi. Au pied de l'escalier, Caroline sautillait sur place.

– Tu t'es fait mal, Ciboulette? s'est inquiétée maman.

– Non, mais il y avait un monstre, là, sur le comptoir!

– L'araignée?! ai-je demandé.

– Oui, enfin non, un VRAI monstre, a répondu Caro.

– Il fallait s'y attendre! s'est exclamée moumou, exaspérée. À force de pousser des cris chaque fois que tu aperçois une araignée, Alice, tu as fini par transmettre ta peur à ta sœur... Bon, il y a du lavage à faire. J'emmène Zoé au sous-sol.

Jetant un regard mauvais à cette marâtre, j'ai saisi Caro par la main et l'ai entraînée dans notre chambre.

– Comme ça, tu l'as vue, toi aussi?! J'en ai assez de cette mère qui ne nous croit pas! Pas question que je passe une nuit de plus ici en compagnie de cette mygale!

– Cannelle devrait l'attraper et la bouffer toute crue, a déclaré ma BING! BANG! BOUM! de sœur.

– Quelle horreur !!! Le venin la rendrait très malade. Et puis, je ne supporterais pas l'idée d'une mygale agitant convulsivement ses pattes dans l'estomac de ma chienne adorée.

– De notre chienne adorée, a repris Caro.

– De notre chienne adorée, ai-je répété docilement. Écoute, sauvons-nous avec elle.

– Mais pour aller où ?!

– Chez les Baldini. Range ton pyjama et ta brosse à dents dans ton sac de piscine. Prends aussi des vêtements pour demain. Je vais faire la même chose. Et n'oublions pas notre sac d'école.

Au moment où on enfilait nos manteaux, la porte d'entrée s'est ouverte. C'était papa ! Oh, notre sauveur !!!

– Coucou, les filles ! a-t-il lancé en déposant sa valise. Vous partez à la piscine à cette heure-ci ?!

– Non, ai-je répondu. On va dormir chez les Baldini.

– Ils vous ont invitées à passer la nuit chez eux ? En semaine ?!

– À vrai dire, ils ne sont même pas au courant, a répondu Caro. Mais on refuse de rester dans cette maison !

– Comment ça ?!!!!!

– À cause de la mydale.

– Quelle amygdale ?! Vous avez mal à la gorge ?

– Non, mais on a peur de l'araignée des oranges. Alice croit que...

Lui coupant la parole, le paternel a déclaré :

– Je meurs de soif ! Laissez-moi boire un verre d'eau. Ensuite, vous me raconterez ce qui ne va pas.

J'aurais dû le prévenir de ne pas entrer dans la cuisine. On a entendu une sourde exclamation suivie d'un bruit de verre brisé. Poupou est ressorti en claquant la porte à l'instant où Zoé remontait à quatre pattes du sous-sol, suivie par maman qui portait un panier de linge. L'air réjoui, elle s'est exclamée:

– Oh, chéri, tu es là! Tu as fait bon voyage?

Au lieu de lui répondre, papa a articulé:

– L'araignée…

– Quoi, toi aussi! a grimacé maman. Je ne savais pas que tu avais peur des araignées.

– Moi non plus. Mais il y en a une énorme dans l'évier!

Moumou est entrée dans la cuisine.

– L'évier est vide, a-t-elle déclaré. C'est à croire que toi et tes filles avez des visions. Caroline, tu te calmes, s'il te plaît. Car à force de trépigner sur un carrelage jonché d'éclats de verre, tu vas finir par te blesser. Et peux-tu bien me dire pourquoi Alice et toi avez votre manteau sur le dos?!

– On s'apprêtait à aller demander asile aux Baldini, a répondu ma sœur.

– Mais quelle maison de fous!!! s'est énervée Astrid Vermeulen en levant les yeux au ciel. Je vais ramasser le dégât et commencer à préparer le souper. Occupe-toi des filles, Marc.

– Sors plutôt de cette cuisine, Astrid, et referme la porte! lui a intimé papa. J'appelle un exterminateur.

Et il a commencé à pitonner sur son téléphone intelligent. Mais moumou ne l'entendait pas de cette oreille.

– Un exterminateur! Comme si on n'avait pas déjà assez de frais comme ça. C'est de l'argent jeté par les fenêtres.

Elle réapparaîtra tôt ou tard, votre araignée. Et je me chargerai de l'éliminer.

Moi, avec mes futures broches à un million de dollars (ou presque), je me suis sentie vaguement coupable... Mais je t'assure, cher journal, que pour nous débarrasser une fois pour toutes de ce cauchemar à 8 pattes, j'aurais renoncé aux traitements de l'orthodontiste, quitte à avoir des dents de lapin pour le restant de mes jours. Le téléphone a sonné. C'était Emma. Elle m'a expliqué qu'elle n'était pas allée à l'école, ce matin, car elle s'était réveillée brûlante de fièvre. Cet après-midi, sa température avait baissé et elle voulait savoir si on avait du travail scolaire pour demain. *Emma... Benjamin... Mygales. Tilt* !!!

Après avoir expliqué à mon amie que madame Robinson ne nous avait donné qu'un devoir de fractions en page 38 de notre cahier d'exercices, je lui ai annoncé :

– Figure-toi qu'on a une mygale chez nous !!!

– Wow ! C'est chouette !

– Détrompe-toi, ça n'a rien de cool. Je n'ai pas du tout envie de commencer une collection de bestioles, comme ton frère. Tout ce que je souhaite, c'est que cette araignée qui est arrivée ici en même temps que les oranges de la collecte de fonds déguerpisse au plus vite. Penses-tu que Benjamin pourrait nous donner un coup de main ? Sinon, mon père appellera un exterminateur.

– Un exterminateur ?! a lancé Emma d'une voix alarmée. Attends-moi un instant ; je vais parler à mon frère.

Deux minutes plus tard, Benjamin Shapiro était au bout du fil. Il a une grosse voix d'homme. Même si ça m'impressionnait de parler à ce gars que je ne connaissais pas, je lui ai expliqué la situation. Mes parents m'écoutaient. Le frère d'Emma s'est déclaré prêt à nous aider. Alors, je lui ai passé mon père, qui lui a dit :

– Si tu parviens à la liquider, je te donnerai 100 $.

– … ………… … ………… … ……… …

– Tu es sûr?! Bon, moi, ça ne me dérange pas. Du moment que tu nous en débarrasses.

Benjamin a dit que Valentin le déposerait 10 minutes plus tard. J'étais curieuse de découvrir les frangins d'Emma. Valentin, quel prénom romantique… Valentin Shapiro, 18 ans et champion de patin de vitesse, devait être un superbe gars musclé. La sonnette m'a tirée de ma rêverie. Cannelle s'est mise à japper et moi, je me suis précipitée pour ouvrir la porte. Benjamin était seul. (Il nous a dit plus tard que Valentin l'attendait dans leur auto.) Dès qu'il a caressé ma chienne, elle s'est tue et l'a flairé. Elle devait sentir l'odeur de Carpette et Chipolata, les deux chiens des Shapiro. Je n'ai donc pas pu vérifier si Valentin était musclé mais Benjamin, lui, il l'est ! Sa tignasse est de la même couleur cuivrée que la chevelure de sa sœur, mais ses yeux sont bruns et non turquoise. Il portait une chemise à carreaux grise et bleue, un bermuda violet et était pieds nus dans ses souliers de sport (je te rappelle, cher journal, que nous sommes fin novembre et qu'il gèle dehors!). Même s'il est moins grand que monsieur Gauthier, Benjamin a une large carrure ainsi que des mollets très costauds et poilus. Bref, on aurait dit un homme de Cro-Magnon, avec des lunettes et un sac en plastique à la main.

L'ado trapu a donné une vigoureuse poignée de main à mes parents. Maman n'a pu retenir une grimace de douleur. Ensuite, elle s'est discrètement massé la main. Benjamin a demandé où se trouvait l'araignée.

– Dans la cuisine, ai-je répondu.

– Tu n'as pas peur ? s'est informée Caro.

– Peur ?! a répété Benjamin en fronçant ses sourcils broussailleux. Non, les arachnides sont mes amis.

– C'est quoi les arachnides ?

– Une classe d'animaux dotés de huit pattes qui regroupe notamment les araignées et les scorpions.

*Violette est allergique aux arachides.
Et moi aux arachnides.*

– Tu vas la capturer avec tes mains ?!

– Oui, mais je vais commencer par enfiler mes gants.

Coupant court à la conversation, Benjamin a franchi le seuil de la cuisine et a refermé la porte derrière lui.

On avait l'air un peu ridicules, massés là devant la porte. D'un air faussement naturel, papa a proposé de s'installer au salon, en attendant. On venait juste de s'asseoir quand le jeune Cro-Magnon est sorti, un cube de plexiglass à la main. De loin, j'ai regardé ce qu'il contenait. C'était bien THE monstre. Vivant. Maman, qui avait rejoint le vaillant dompteur d'araignées, a avalé bruyamment sa salive.

*Benjamin dans l'autre
de la mygale !!!*

71

– C'est… c'est vraiment une mygale ?

– Oui et pas n'importe laquelle ! s'est enthousiasmé Benjamin. Il s'agit là d'un superbe spécimen. Je n'en ai jamais vu d'aussi grande.

Ma mère, qui était devenue toute pâle, a fermé les yeux. S'adossant contre le mur, elle s'est laissée glisser jusqu'au sol.

– M… ! (gros mot) a lancé mon père. Elle s'est évanouie !

Il a filé chercher une serviette imbibée d'eau froide puis a tamponné le visage de moumou. Caro, qui a fondu en larmes, s'est agenouillée à ses côtés. Elle s'est agrippée à sa main en répétant :

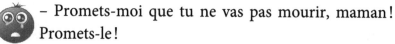 – Promets-moi que tu ne vas pas mourir, maman ! Promets-le !

Notre mère a remué silencieusement ses lèvres exsangues, comme pour dire : « Je te le promets. » Caro a déposé un baiser sur son front.

On se serait cru au théâtre, cher journal, sur la scène d'une tragédie antique. J'étais inquiète pour ma mère mais aussi gênée que tout ça se passe en présence du frère d'Emma. Et Valentin qui, pendant ce temps-là, poireautait dans l'auto… Décidément, c'était une soirée biiizzzz. Il faut dire que depuis que cette araignée avait mis le pied (ou plutôt les pattes) chez nous, la vie de la maisonnée en était chamboulée.

Tandis que, sur le canapé, Astrid Vermeulen récupérait de ses émotions (fiouuu…), mon père a demandé à Benjamin d'attendre qu'il inspecte les autres caisses d'agrumes avant de partir. Horreur absolue : et si d'autres mygales s'y dissimulaient?!!! Du coup, j'ai fixé les cartons empilés dans le salon d'un air inquiet. J'étais prête à battre en retraite si, à l'instant où papa les ouvrirait, des escadrons d'araignées géantes en sortaient. Mais, par chance, les autres boîtes ne contenaient que des oranges. Mon paternel a sorti son portefeuille pour rémunérer Benjamin qui, une fois de plus, a décliné son offre. Après nous avoir salués, il est reparti avec son « précieux butin ». Bon débarras ! (Pas pour Benjamin mais pour la mygale.)

Ma mère s'est levée. Elle avait retrouvé ses couleurs.
– Tu nous as fait une de ces peurs, ma petite moumou ! ai-je murmuré en la serrant dans mes bras.
Après nous avoir embrassées, elle m'a présenté ses excuses.
– Comment aurais-je pu m'imaginer qu'il s'agissait réellement d'une mygale?! a-t-elle ajouté. Toi qui pousses des cris perçants dès que tu aperçois une minuscule araignée…
– Je te ferais remarquer, moumou, que cette bestiole-là n'avait rien d'une minuscule araignée ! Tu sais, il y a des gens qui ne croient jamais les enfants. C'est le cas de Cru… hum hum, de certains adultes (ouf, je me suis vite reprise). Je n'aimerais pas que tu sois comme ça. Quand je te dis quelque chose, il faut me croire. Et puis, ce n'est pas de ma faute si les araignées me terrorisent.
Astrid Vermeulen m'a fait un aveu :
– Tu sais, Alice, quand j'avais ton âge, moi aussi j'avais peur des araignées. Mais lorsque je suis devenue maman, j'ai surmonté mes craintes.

– Comment ça ?!

– Je ne voulais pas te les transmettre.

J'ai pouffé de rire.

– C'est raté !

Maman a ri elle aussi avant de continuer :

– Et puis, le jour où j'ai lu que les araignées étaient souvent sur le qui-vive, je me suis mise à leur place. Ça doit être effrayant de se trouver devant des géants prêts à nous écraser.

– Quels géants ? a demandé Caro.

– Nous, les humains. Car nous sommes infiniment plus grands que les araignées.

Elle a raison. Sacrée moumou… encore un peu, elle me faisait pleurer sur leur sort !

Elle a poursuivi :

– C'est Colette qui a achevé de me réconcilier avec les araignées. Ou plutôt Sido.

– C'est qui, elles ???

– Colette est une grande dame de la littérature française. Sa mère Sidonie lui avait raconté qu'un soir, elle avait posé une tasse de chocolat chaud sur sa table de chevet, afin de la boire un peu plus tard. Tout à coup, elle avait aperçu une grande araignée qui se cramponnait au bord de la tasse et se délectait de son lait au chocolat.

– Quelle horreur ! Cette femme a dû tomber dans les pommes, comme toi tout à l'heure.

– Pas du tout. Au contraire, Sido était émerveillée de partager sa boisson chocolatée avec une aussi belle araignée.

Plusieurs soirs de suite, elle a observé le manège de son amie qui descendait le long de son fil, buvait tout son saoul puis remontait au plafond.

– Émerveillée?! ai-je répété, interloquée. Son amie! À mon avis, elle devait avoir une araignée dans le plafond, cette Sido!

Piquée au vif, ma mère a rétorqué:

– Pas du tout! Elle adorait les animaux.

Moi aussi, je les adore, cher journal. Mais pas au point de partager mon chocolat chaud avec une araignée! Et surtout pas avec «notre» mygale!!!

Papa, Caro et moi sommes allés livrer (enfin, c'est notre père qui les portait) les cartons d'agrumes chez nos voisins.

En nous ouvrant la porte, madame Baldini s'est exclamée:

– Quelle belle surprise! Bonsoir, Alice et Caroline. Bonsoir, monsieur Aubry.

Caro et moi, on l'a embrassée. Après l'avoir saluée à son tour, papa lui a dit:

– Voici votre boîte d'oranges.

Ma sœur a affirmé:

– Vos fruits sont garantis sans araignée!

– Comment ça?! a demandé notre gentille voisine.

Du coup, on lui a raconté notre mésaventure.

– Une mygale!!! *Mamma mia*, mais c'est terrible!

Ensuite, on est passés chez les Banville puis chez Pierre & Michael. Sushi, leur chat siamois, était assis dans l'entrée. Nous surveillant du coin de l'œil, il battait doucement sa queue d'un air de défi. Il ne m'aime pas. Eh bien, moi non plus.

Jeudi 25 novembre

Ce matin, Emma m'a rejointe sous l'érable. J'ai pris des nouvelles de sa santé et elle m'a dit qu'elle était guérie. Changeant de sujet, elle a déclaré :

– Mon frère est enchanté d'avoir adopté votre araignée. Il l'a appelée Mimi.

– Comment ça ?! l'a interrogé Hugo qui passait par là.

Et c'est ainsi que l'histoire de la mygale a fait le tour de la classe.

– J'aurais voulu la voir ! s'est écrié Patrick Drolet.

– Tu veux une photo de Mimi ? lui a demandé Emma.

– Oui !

– Alors donne-moi ton adresse courriel. Je demanderai à Benjamin de t'en envoyer une.

Se tournant vers moi, Pat a déclaré :

– Toi qui as peur des araignées, Alice, j'imagine le hurlement que tu as dû pousser !

Eduardo m'a imitée en poussant un « Au secouuuurs ! » ultra-aigu.

– Une araignée, c'est rien comparée à un alligator ! a lancé Jonathan. Aujourd'hui, vous allez tout savoir sur ce redoutable saurien.

C'est vrai qu'après le cours de Kim Duval, c'était au tour de Joey et de Stanley de faire leur exposé.

Avant de descendre à la récré, je suis passée aux toilettes. Une fois dans la cour, j'ai aperçu Catherine Provencher à côté du bac de compostage, près de l'escalier. Je lui ai proposé un des deux biscottis que j'avais apportés comme collation.

– Non merci, Alice.

– Tu en es sûre ? Ils sont délicieux.

– Tu es gentille, mais je n'ai pas faim.

C'est bien la première fois, cher journal, que CP refuse quelque chose à grignoter. Les démêlés avec sa meilleure amie lui ont coupé l'appétit.

Quant à Catherine Frontenac, elle jouait à lancer un ballon dans le panier de basket avec Magalie et Angelica. En leur compagnie, elle s'amuse et elle rit. Mais dès qu'elle se retrouve avec notre classe, son visage se ferme et son regard devient d'acier. Comme si elle ne voulait plus rien savoir de nous. Même pas de ses amies qui la soutiennent. Car deux clans se sont formés en 6e B autour de CP et CF. Et moi qui suis apparemment la seule fille avec Emma à ne prendre parti ni pour l'une ni pour l'autre, je me tiens avec Marie-Ève. Mais en écoutant les autres jeter de l'huile sur le feu, mon cœur est de plus en plus raplapla. TILT ! Je sais dans quel clan je suis, moi. Celui de la paix.

En fin de journée, Catherine Provencher s'est mise à pleurer devant son casier. Catherine Frontenac est passée devant elle avec une souveraine indifférence. Elle a pris ses affaires dans le casier voisin et s'est éloignée. Encore secouée par la peine de CP (on était plusieurs à avoir tenté de la consoler), j'attendais ma sœur dans le couloir à côté de la porte d'entrée. Monsieur Rivet, qui avait eu vent de l'épisode de la mygale, est venu me trouver. Il était désolé mais aussi soulagé de l'heureux dénouement. Si seulement l'affaire Catherine F. contre Catherine P. pouvait se résoudre, elle aussi ! Je fais un vœu pour que ça se règle DEMAIN.

Tiens, pour me changer les idées avant de dormir, je vais entamer le tome 7 des aventures de Kenza. Marie-Ève, qui l'a dévoré en trois jours, me l'a prêté aujourd'hui.

Vendredi 26 novembre

J'ai lu *Des hennissements dans la nuit* jusque tard, hier soir. Quand le réveil a sonné, j'ai eu de la difficulté à me lever. Caroline m'a houspillée. Elle m'a même menacée de me planter là, si je ne me dépêchais pas de partir à l'école.

Une fois sur place, je me suis à nouveau retrouvée en pleine tourmente. Alors qu'on montait l'escalier, Éléonore s'est écriée :
– Catherine, arrête de te ronger les ongles ! C'est plein de bactéries, là-dessous. Il paraît que quand on se rogne les ongles, c'est un peu comme si on léchait la cuvette des toilettes !
– Miam ! a rétorqué le clown de la classe en se léchant les babines.

Ignorant l'incorrigible Patrick, Catherine Frontenac a répliqué vertement :

– Mêle-toi de tes affaires, maudite niaiseuse ! avant de bousculer les 6ᵉ A pour les dépasser.

Estomaquée, Éléonore s'est arrêtée net en plein milieu de l'escalier. Puis elle a lâché :

– Niaiseuse toi-même ! Non mais, pour qui elle se prend, celle-là ! Dire que ces jours-ci, j'avais pris son parti !

– Les filles regardent trop de téléromans, a commenté Mathis Lafontaine, un gars de 6ᵉ A. Du coup, elles s'imaginent que la vie est un perpétuel mélodrame.

– Eh, avancez un peu, bande d'abrutis ! a lancé Stanley qui se trouvait quelques marches plus bas.

Pffffffff…

En arrivant au 3ᵉ étage, Catherine Provencher s'est adressée à la furie qui était en train de fourrer ses bottes dans son casier. Les mains sur les hanches, elle lui a demandé :

– Et notre exposé sur le panda ?

– Je ne veux plus rien savoir de toi, c'est clair ?! a répondu l'implacable CF. Fais ta recherche de ton côté. Moi, je me débrouillerai.

– Mais on doit se partager le travail…

– Vu que tu t'empiffres à longueur de journée, tu n'as qu'à t'occuper de la nourriture du panda. Je me chargerai des autres sujets.

Je n'en reviens pas comme Catherine Frontenac peut être blessante avec son ex-meilleure amie ! Mais cette fois,

son comportement odieux a agi comme un électrochoc. Me prenant à témoin, Catherine Provencher a explosé :
– Je trouve ça difficile à digérer !!! Que j'ai commis une erreur, OK, je le reconnais. Mais même si je lui ai présenté mes excuses, cette fille en fait tout un plat ! Je me heurte à un mur chaque fois que j'essaye de lui parler ! C'est terriblement frustrant.

CP était hors d'elle.
– J'en ai assez de ces humiliations ! a-t-elle continué. Moi qui étais triste à l'idée que Catherine et moi, on ne serait plus dans la même école au secondaire, eh bien, tout à coup, je me sens soulagée. Je n'aurais jamais cru ça possible mais elle me déçoit tellement ! Je n'en…
– Moi aussi, l'a coupée Kelly-Ann, j'aimais notre classe et je me sentais déjà nostalgique à l'idée de quitter l'école des Érables, en juin prochain. Mais si ça continue comme ça, je vais trouver le temps long avant d'arriver au secondaire… J'en ai marre de cette ambiance de ☠☠☠ ! C'est vraiment plus drôle, en 6ᵉ B !

Madame Robinson nous a appelés dans notre local. Mais dans ces conditions, cher journal, tu t'imagines bien qu'on n'arrive pas à se concentrer. D'ailleurs, j'ai eu deux mauvaises notes, cette semaine.

Fin d'après-midi à l'aréna. On venait de s'élancer sur la glace lorsque Africa a dit à Kelly-Ann :

– Tu as raison, le climat de la classe s'est tellement détérioré! Tout le monde est à bout de nerfs. Ou déprimé. À part Stanley, Patrick et Eduardo.

– Les gars prennent ça moins à cœur que nous, les filles, ai-je admis. Mais la situation les affecte, eux aussi. Avez-vous remarqué comme Stanley devient agressif?

– C'est vrai, Alice. Et en sortant des toilettes, tout à l'heure, j'ai vu Eduardo faire un croche-pied à Bohumil qui s'est étalé de tout son long…

– Oh, le pauvre!

– Éléonore commençait à bien s'entendre avec Marie-Ève. Mais depuis ce qui s'est passé tantôt, elles semblent à nouveau à couteaux tirés…

– La polémique gagne la 6e A, a annoncé Kelly-Ann d'un ton fataliste. Elle a même eu raison de la complicité des jumelles.

– Comment ça?! ai-je demandé.

– Billie est pour Catherine Provencher tandis que Brianne est résolument pro-Catherine Frontenac. Même la douce et timide Barbara Witold a rallié le camp de CF, paraît-il.

Un nuage noir s'est formé
Il s'étend au-dessus de nos vies
Il les englue
Les recouvre de suie

On ne voit pas le bout du tunnel
Le conflit sera-t-il éternel?
Moi qui avais gardé de l'espoir
Je commence à broyer du noir.

En parlant de noir, c'est la couleur qu'aurait dû avoir la couverture de ce cahier dans lequel je t'écris, cher journal. Car pour le moment, ma vie n'a rien de rose. Quand j'aurai terminé de le remplir, ce cahier, je l'intitulerai *Zizanie en 6ᵉ B*! Ou *Catherine contre Catherine*! Tu trouves ça trop déprimant? Tu as raison. Alors, même si la chicane dure jusqu'à la fin de l'année, ton 8ᵉ cahier ne sera pas affublé de ce titre sans espoir, cher journal. Promis.

Samedi 27 novembre

On s'est rendues au Carrefour Laval, maman, Caro, Zoé et moi. L'une de mes sœurs voulait acheter un cadeau pour l'anniversaire de son amie Jessica, l'autre avait besoin d'une salopette. Et moi, comme je n'avais rien d'autre à faire, j'ai décidé de les accompagner. J'adore me balader au centre commercial.

Sur le chemin du retour, moumou nous a proposé de passer chez le traiteur.
– Je n'ai pas eu le temps d'aller faire les courses, nous a-t-elle expliqué. Alors nous allons acheter ce qu'il faut pour le souper.
– Cool!
– On va se dépêcher, a ajouté notre mère. Car Zoé va bientôt réclamer sa collation.

Aussitôt dit, aussitôt fait. On a choisi une quiche lorraine, un pâté au saumon et une baguette si dorée et croustillante que j'aurais immédiatement mordu dedans. Pendant que moumou et Caro attendaient pour payer, j'ai pris notre bébé chéri dans mes bras. Je lui ai montré la vitrine où trônaient des millefeuilles et des gâteaux plus appétissants les uns que les autres. Zoé a demandé à descendre et je l'ai déposée à terre. Elle a fait quelques pas et s'est arrêtée devant le rayon des fromages. Qu'elle était mignonne! Elle avait l'air d'un petit ange, avec ses boucles blondes. Me replongeant dans la contemplation des pâtisseries, j'ai réalisé que mes spaghettis de ce midi étaient digérés depuis belle lurette… Oh que j'avais faim! TILT! J'allais demander à maman si on pouvait aussi acheter un dessert.

À cet instant, un cri a retenti.
– À qui est ce bébé? s'est exclamée une femme d'une voix acide.

Il s'agissait d'une des vendeuses et elle désignait Zoé. Autour de cette dernière, le sol était jonché de morceaux de fromage…
– C'est ma sœur, ai-je répondu en reprenant Zouzou dans mes bras.

– Et où sont vos parents?

J'ai désigné maman qui arrivait. La vendeuse l'a prise à partie:
– Regardez les dégâts qu'a faits votre enfant!

La vendeuse pas sympa a ramassé un morceau de brie dont la pointe sectionnée pendouillait lamentablement et ne tenait au reste que parce que le fromage était emballé dans une pellicule plastique transparente. D'un air dégoûté, elle l'a agité devant les yeux de moumou. J'ai compris que notre Zoé chérie avait beau avoir mordu à pleines dents dans le fromage emballé, elle n'avait réussi qu'à y laisser l'empreinte de sa dentition et de la salive. C'est pour cette raison qu'elle avait dû essayer un fromage après l'autre, sans plus de succès. Pauvre Zouzou, quand même, ça avait dû être frustrant. J'ai eu envie de rire car, quoi qu'en pense la vendeuse, la situation était bien plus comique que dramatique. Mais ce n'était pas le moment de m'esclaffer alors j'ai réussi à me retenir en songeant à un truc hyper triste (que je ne reverrais plus jamais Grand-Cœur. Ça marche à tout coup. Snif.).

Maman s'est adressée à la vendeuse :
– Désolée, madame. Je comptais justement acheter du fromage. J'en prendrai donc trois ou quatre parmi ceux-ci.
– Mais vous devez tous les payer ! s'est étranglée la peste. Vous imaginez bien qu'on ne peut pas les vendre dans cet état à un autre client !
Maman a déposé sa Prunelle par terre et m'a demandé de bien la surveiller, cette fois. Empilant les six morceaux de fromage où étaient imprimées les dents de son bébé requin, elle s'est dirigée vers la caisse. Avec le coût de ces fromages, il n'était plus question de proposer à maman d'acheter un dessert. On allait manger du fromage, du fromage et encore du fromage…

Tenant Zouzou par la main, j'ai jeté un coup d'œil de convoitise aux éclairs luisant de chocolat. J'en aurais volontiers pris un pour ma collation. J'ai poussé un soupir de regret… suivi d'un cri de douleur. Aïe! Maman, qui arrivait avec ses sacs, m'a lancé d'un ton impatient:

– Ah non, Alice, tu ne vas pas commencer, toi aussi!

Je me suis mise à pleurer silencieusement. Ce qui ne m'a pas empêchée de voir la vendeuse antipathique lever les yeux au ciel. Puis maman m'a demandé d'une voix radoucie:

– Que se passe-t-il, Biqu… euh, Alice?

J'ai chuchoté, pour qu'elle soit la seule à m'entendre:

– Zoé m'a mordu la jambe à travers mon pantalon…

Moumou a compati.

– Oh, je suis désolée! On examinera ça à la maison.

Puis, s'adressant à la coupable:

– Saperlipopette, qu'est-ce que tu as encore fait à Alice?! Non! On ne mord pas sa sœur, même quand on a très faim.

Zoé affichait un air penaud. Des clients nous dévisageaient. J'ai tourné les talons et je me suis précipitée hors du magasin. *La honte*!

Dans la fourgonnette, Caroline s'en est prise à Zoé, assise entre nous deux sur son siège de bébé.

– Gare à toi si jamais tu t'attaques encore à *ma* sœur! Car cette fois, c'est moi qui te mordrai!

– Zo-Al-Caroline, ne dis pas des choses pareilles! lui a lancé maman, qui venait de démarrer.

Mais Caro ne plaisantait pas.

– Non seulement je le dis, mais j'le ferai!

J'ai défendu le bébé requin.

– Tu ne vas quand même pas te mettre à mordre Zoé?!

– Et pourquoi je me gênerais? C'est la troisième fois qu'elle te fait le coup. Sans compter la petite Juliette, à la garderie. À l'Halloween, c'est pas en citrouille qu'on aurait dû la déguiser mais en vampire! Il faut lui faire perdre cette habitude sinon elle plantera ses crocs dans notre chair chaque fois qu'elle sera contrariée. Si je la mords, elle comprendra que ça fait mal et ne recommencera plus.

Devant mon air horrifié, elle a ajouté:

– Rassurez-vous, je ne la mordrai pas jusqu'au sang. Mais en saisissant son bras entre mes dents et en appuyant un petit coup sans la blesser...

Maman l'a coupée net.

– C'est très gentil de ta part, Ciboulette, de prendre la défense d'Alice. Mais mordre Zoé n'est pas la solution. Car comment lui faire comprendre qu'il est interdit d'utiliser ses dents de cette façon si nous-mêmes nous le faisons? Un bébé apprend par l'exemple, tu sais.

D'un air pincé, Caro a répliqué:

– C'est bien beau, ta théorie. Mais tu proposes quoi comme solution concrète?

– J'espère que Prunelle ne recommencera plus. Cependant, si c'est le cas, il faudra continuer à lui dire fermement: «Non! On ne mord pas!»

Au souper, bien sûr, il y avait du fromage sur la table. Zouzou aurait au moins pu planter ses dents dans un fromage de chèvre. Car parmi les morceaux auxquels elle s'était attaquée, il y avait 5 X du brie… Heureusement, le dernier fromage était du Migneron de Charlevoix. Un pur délice, celui-là !

Dimanche 28 novembre

Il a plu toute la journée. Hier soir, j'ai terminé le tome 7 des aventures de Kenza. 😊 Formidable, comme toujours. Mais du coup, n'ayant plus rien à lire aujourd'hui, je m'ennuie. Et comme si ça ne suffisait pas…

🙁 Quand Zoé est dans les parages, je me tiens sur mes gardes. Avoir peur de sa petite sœur, il faut le faire…

😕 Je n'ai vraiment pas hâte d'être à demain. Car à l'école, ça risque d'être une autre journée éprouvante…

😕 Et le plus horrible de tout, je n'ose pas te l'avouer, mon journal pourtant si précieux. Quoi, tu veux TOUT savoir ? À cause de ce marasme, je n'ai même plus envie de t'écrire. Pour te raconter quoi ? Toujours la même situation qui dégénère… À quoi bon. Désolée, cher journal.

19 h 55. Ce soir, tandis que je brossais ma bonne Cannelle dans ma chambre, mes parents regardaient le téléjournal dans la leur. Des bribes d'informations parvenaient à mes oreilles. Rien pour me remonter le moral. Guerre civile en Syrie… Palestinien de 15 ans abattu par un soldat israélien

en Cisjordanie… Explosion dans un marché en Irak, bilan : 65 morts… Des larmes me sont montées aux yeux. J'étais révoltée. Les adultes qui orchestrent ces conflits ont-ils déjà pensé à quel point c'est stressant pour les enfants d'entendre tout ça ? Car on est vraiment impuissants, nous, face à ce chaos. Que va-t-il nous arriver ? Y aura-t-il un jour une 3e guerre mondiale ? Ou une guerre nucléaire ? Notre pays sera-t-il toujours épargné ? Car ça doit être terrible de vivre dans un pays en guerre, avec la faim et la peur au ventre. Les gens doivent se sentir comme des bêtes traquées par les chasseurs. *Guerre à la guerre !*

Dans une guerre, il n'y a que des perdants.

Si je me souviens bien des leçons de monsieur Gauthier, on est plus de 7 milliards d'êtres humains sur la Terre. Qui, elle (avec notre système solaire), est située au fin fond de la Voie lactée. Qui, elle, est une galaxie parmi des milliards de galaxies… Bref, on est une poussière dans l'Univers, cher journal. Pourquoi n'y a-t-il pas plus de solidarité ? Plutôt que de provoquer des guerres, on ferait mieux de s'entraider. Pour que tout le monde puisse manger à sa faim, par exemple. Si les militaires déposaient les armes, les humains, les animaux et notre planète tout entière se porteraient beaucoup mieux. Ah, je sais ! Je devrais écrire une poésie que j'intitulerais « Et si on faisait la paix ? ». Mais je suis fatiguée. Ce sera pour un autre jour.

Deux minutes plus tard. Bon, suffit la déprime ! Mon père m'a toujours dit qu'il fallait éviter de se coucher le cœur triste. Je vais donc utiliser le meilleur des remèdes : relire *Les Zarchinuls* ! Tiens, le tome 11 : *Les Zarchinuls contre-attaquent*. C'est exactement ça qu'il me faut : contre-attaquer pour retrouver ma paix intérieure. Et toi, cher journal, excuse-moi de t'avoir confié mes sombres pensées. Mais la vraie vie n'est pas rose tous les jours. Rassure-toi cependant. Je t'écrirai encore demain ! Et après-demain. Promis juré. Bon, pour te faire sourire, toi aussi, je colle une belle photo ici. C'est oncle Alex qui nous avait photographiées, mes sœurs et moi, cet automne à Covey Hill.

Lundi 29 novembre

Ce matin, j'ai enfilé mon chandail bleu avec les signes de la paix. Mais en classe, la tension était palpable. Africa et Kelly-Ann ont fait une présentation très intéressante sur l'ours blanc. Ce qui nous a permis, pendant 20 minutes, d'oublier la réalité.

À la récré, il ne pleuvait presque plus. Marie-Ève et moi, on s'est réfugiées sous les branches dénudées de notre érable. Portant un sac en plastique dans chaque main, Catherine Provencher, accompagnée des amies de son clan, est venue nous parler. Deux minutes plus tard, on l'a toutes suivie. Notre délégation est arrivée près des paniers de basket. Depuis une semaine, c'était devenu le quartier général de Catherine Frontenac. Prenant son courage à deux mains, CP lui a dit :
– Je te souhaite une bonne fête.
   On s'est exclamées à notre tour :
– Bonne fête, Catherine ! Joyeux anniversaire !
   Je ne me rappelais plus que CF avait 12 ans, aujourd'hui. Je dois avouer que la liste des anniversaires que j'avais dressée dans ton cahier orange n'est pas très pratique, cher journal. J'en établirai une autre. Si je l'affiche au-dessus de mon bureau, je serai en mesure de la consulter régulièrement. Ainsi, je n'oublierai plus personne.
   Catherine F. ne s'attendait pas à ça. Il y a eu un moment de flottement. Puis, elle a fait un sourire crispé et nous a remerciées. Catherine P. a sorti de sa poche un minuscule

paquet. Il était rose, plat et avait
l'air de ne rien peser. CF a hésité.

– C'est pour moi ?
– Oui. Mais si tu n'en veux pas, tu n'as qu'à le jeter à la poubelle, a murmuré l'autre Catherine.

CF n'a pu dissimuler sa surprise en ouvrant le micro-paquet. Elle a aussitôt fermé la main qui le contenait. Elle a voulu dire quelque chose à celle qui avait été sa joyeuse complice pendant plus de six ans mais aucun son n'est sorti de sa bouche. À la place, deux larmes ont roulé sur ses joues. Elle les a essuyées du revers de la main. D'une voix tremblante, elle a réussi à articuler :
– Catherine, tu es tellement gentille ! Moi, par contre, je me suis montrée détestable. Excuse-moi pour toutes les horreurs que j'ai proférées au Salon du livre ! Sans compter les jours suivants. C'était méchant et injuste ! Mais j'étais tellement frustrée que c'est sorti tout seul. Et après, plus moyen de revenir en arrière…
– Mieux vaut tourner 7 X sa langue dans sa bouche avant de s'attaquer à une amie, a commenté Audrey d'un ton moralisateur.

Ignorant cette remarque, CP a dit à son tour :
– Et moi, j'aurais tellement voulu que tu puisses revoir Noah, car je savais que tu ne l'avais pas oublié. Mais quand j'ai réalisé que je n'aurais pas dû intervenir dans la conversation, il était trop tard. Noah avait disparu. J'avais tout fait foirer…

– Ce gars, je l'ai dans la peau, a reconnu CF. Mais toi, mon amie, tu es encore plus importante que lui. Seulement, je ne sais pas si tu pourras jamais me pardonner…
– Je suis prête à le faire, a déclaré Catherine Provencher. Mon cadeau en est la preuve.

Très émue, Kelly-Ann pleurait silencieusement. Africa a passé le bras autour de son épaule. Jade a demandé à Catherine Frontenac :
– Tu as reçu quoi ?
– Un bracelet de l'amitié… *C'est vrai qu'il est beau, ce bracelet.*
Elle nous l'a montré. *Avec des rayures mauves, rose*
– Il est beau, hein ? Merci, *doux, rose vif, lilas & turquoise.*
Catherine. C'est quand même pas toi qui l'as fait ?
– Ben oui.
– Je ne savais pas que tu savais faire des bracelets.
– Moi non plus. Jusqu'à samedi.
Elles ont pouffé de rire.
– Ça n'a pas été facile, a avoué CP. Avant d'y arriver, j'ai fait trois essais ratés. Mais je ne me suis pas découragée. Je voulais que ton bracelet soit magnifique.
– C'est le plus merveilleux que j'aie jamais vu ! En plus, ce sont mes couleurs préférées. Veux-tu l'attacher à mon poignet, s'il te plaît ?

CF a ajouté :
– S'il avait été moins réussi, je l'aurais porté quand même. Car rien ne pouvait me faire plus plaisir. Si tu savais comme j'ai été malheureuse, ces jours-ci. D'avoir perdu

ton amitié mais aussi d'avoir empoisonné l'ambiance de notre classe. Tout ça me dépassait. J'avais beau tourner et retourner les choses dans ma tête, le soir, je ne parvenais pas à trouver de solution pour tout effacer… Merci d'avoir fait le premier pas, Catherine.

Après un instant d'hésitation, elle a continué :
– Mais je dois t'avouer une chose. Je n'ai pas envie de noter des recettes et d'illustrer ton livre de cuisine. Si j'ai accepté, l'autre jour, c'était uniquement pour te faire plaisir.
Tout en finissant sa banane, Emma Shapiro s'en est mêlée.
– Pourquoi tu ne lui as pas dit tout simplement que ce projet ne te tentait pas ?
– Parce que je savais que Catherine y tenait, à son idée, a répondu CF, et que je ne voulais pas la laisser tomber.
– Mais il fallait me le dire ! s'est exclamée CP. Ce n'est pas parce qu'on est des amies qu'on doit toujours avoir les mêmes goûts. Regarde Brianne et Billie ! Elles ont beau être des jumelles identiques, il n'y a pas plus différentes qu'elles.
– Tu as raison, a reconnu Catherine Frontenac. J'ai eu tort…
Puis, prenant un air de défi (subtilement coquin) :
– Bref, tu rejettes toute la faute sur moi !
Marie-Ève m'a jeté un coup d'œil inquiet. « Ah non, semblait-elle redouter, la chicane ne va pas reprendre de plus belle ! » Mais Catherine Provencher a le sens de

l'humour, elle aussi. Elle a compris que sa *best* disait ça à la blague. Et du coup, elle a répondu, à la blague également:

– Eh ben, ce n'est pas trop tôt, Catherine Frontenac. Tu reconnais enfin que c'est TOI la coupable!

– Pitié, pitié! a supplié CF. Je ne mérite quand même pas une condamnation à perpétuité!

– À perpétuité, non. Mais pendant 10 ans, tu collaboreras à mes livres de recettes...

CF a eu un de ces fous rires. Ah, on retrouvait notre amie! Fiouuuu... La guerre est finie! Du moins à l'école des Érables. Patrick Drolet a émis un sifflement d'admiration.

– Dites, les filles, vous êtes douées pour l'improvisation! Vous devriez vous inscrire dans ma ligue d'impro, le jeudi soir.

– Oh, regardez! nous a lancé Violette en désignant le ciel côté rue.

Le soleil avait fait son apparition et un superbe arc-en-ciel surplombait les maisons en face de l'école.

– C'est un miracle! a dit Kelly-Ann en souriant à travers ses larmes. Le miracle de l'amitié.

– C'est pas tout! a déclaré Catherine Provencher en ouvrant l'un des sacs en plastique qu'elle tenait toujours à la main. Hier soir, Catherine, j'ai préparé autre chose pour souligner tes 12 ans.

Le sac était rempli de boules emballées dans du papier aluminium. Elle en a offert une à CF, qui l'a déballée et a mordu dedans.

– Mmmm… un muffin framboises et chocolat noir?

– Exactement! Tu en avais mangé chez moi cet été et tu avais adoré. Malheureusement, il est impossible de faire tenir 12 bougies sur un muffin. J'ai quand même failli, ce matin, apporter une bougie et une boîte d'allumettes… avant de réaliser que ce n'était pas l'idée du siècle. Je risquais de me faire pincer par la surveillante.

– C'est l'intention qui compte, a dit Marie-Ève.

«Mais, ai-je pensé, rien ne nous empêchait d'entonner: "Bonne fête, Catherine…"» C'est ce que j'ai fait et tout le monde a repris en chœur. Catherine Frontenac était sincèrement touchée.

– Vous êtes la classe la plus merveilleuse du monde entier!

– Ça, c'est bien vrai! a renchéri Éléonore, qui donnerait cher pour faire partie de la 6e B, elle aussi.

– Désolée, Léo, pour vendredi…

Catherine Provencher avait cuisiné 24 muffins. Avisant Violette qui n'en avait pas pris, elle a sorti un petit papier de sa poche et l'a tendu à notre amie allergique.

– C'est bien ça la liste des ingrédients qui te sont interdits? lui a-t-elle demandé.

– Oui.

– Eh bien, dans mes muffins, il n'y a ni arachides, ni noix, ni soya, ni lait, ni fraises. Et bien entendu, aucun fruit de mer!

Un muffin aux crevettes, aux moules, aux huîtres ou au homard? Non merci!!!

– Merci d'avoir pensé à moi, Catherine, a dit Violette en déballant un muffin.

Elle l'a savouré avec un plaisir évident.

Bohumil, Jonathan, Simon, Petrus, Ilhan et Stanley se sont approchés. S'adressant aux 2 Catherine, Bohu leur a demandé :
– Vous vous êtes réconciliées, les filles ?
– Oui.
– Tant mieux ! s'est-il réjoui.
Jonathan s'est informé à son tour :
– Pour vrai ?! Vous avez enterré la hache de guerre ?
– Pas trop tôt…, a bougonné Stanley.
– Rien ne pourra plus diviser la 6ᵉ B ! a affirmé Audrey.

6ᵉ B un jour,
6ᵉ B toujours ! 🔔 La cloche a sonné la fin de la récré. Se dirigeant vers l'escalier, CF a dit à CP :
– Il faudra qu'on se reparle de ce qui est arrivé. Mais seulement toutes les deux.
– Tu as raison, c'est indispensable si on veut que notre amitié reparte sur des bases solides et ne vole pas en miettes au prochain sujet de discorde. Et puis, il y a l'exposé…
– Tu as déjà commencé à y travailler ?
– Non, je n'avais pas le cœur à m'y mettre, a reconnu Catherine Provencher.
– Moi non plus. Écoute, veux-tu venir chez moi samedi ? On fera les recherches ensemble.
– D'accord.

Lorsqu'on est remontés en classe et que tout le monde a été assis, madame Robinson nous a déclaré :

– La semaine dernière, je ne voulais pas me mêler du conflit. J'avais bon espoir que vous parviendriez à le régler entre vous. Ce matin cependant, à voir vos mines renfrognées, j'ai compris que la querelle s'envenimait. J'avais prévu d'intervenir, mais je constate avec plaisir que ce ne sera plus nécessaire. J'imagine que vous avez fini par vous parler et par régler ce qui n'allait pas. Bref, je vous félicite, mes chers élèves. Vous aurez droit à une lecture-récompense.

Lorsque madame Robinson a refermé *Un sac de billes*, Catherine Provencher a lâché :
– J'ai une de ces fringales !
– Il ne te reste plus de tes muffins ? lui ai-je demandé.
– Non.
Emma lui a alors proposé :
– Si tu veux, j'ai encore une banane.
– Oh merci ! C'est gentil.
Catherine Provencher a retrouvé son appétit, cher journal. Quelle bonne nouvelle ! Bref, c'est une belle semaine qui commence. Je me rappelle que dans un des premiers tomes de mon journal intime (le 4, je crois), j'avais comparé l'amour à des montagnes russes. Mais quand on y pense bien, la vie aussi est une succession de montagnes russes. Alors que personne ne s'y attendait, les 2 Catherine avaient dévalé la pente à une vitesse vertigineuse, nous entraînant à leur suite. Quel cauchemar ! Et, en ce lundi ensoleillé, nous voilà repartis dans le p'tit train de la vie vers des jours meilleurs… Tchou, tchou ! On monte, on monte… Pourvu que ça dure !

Mardi 30 novembre

Ce matin, Joey était en retard. Oh, il n'a rien raté. On venait d'ouvrir notre cahier de dictées lorsqu'il a fait irruption dans la classe, l'air ravi. En s'installant à sa place, il a dit à Bohumil :
– Tu sais quoi ? J'ai…
Mais madame Robinson l'a interrompu.
– Jonathan, si tu as des choses urgentes à raconter à tes amis, arrange-toi pour arriver à l'école plus tôt. Ainsi, tu auras tout le temps de leur parler avant de monter en classe. Maintenant, ce n'est plus l'heure de bavarder. Concentre-toi pour la dictée.

Ensuite, la prof nous a demandé d'ouvrir notre manuel de sciences de la nature. Pendant la leçon sur les glissements de terrain, Catherine Provencher s'est mise à grignoter des crottes de fromage. Jonathan, lui, se balançait sur sa chaise, non seulement de gauche à droite, comme d'habitude, mais aussi d'avant en arrière. Au bout de 5 minutes, on aurait dit que tout tanguait autour de moi. J'ai commencé à avoir mal au cœur. En plus, j'étais sur le qui-vive, car je m'attendais à tout instant à ce que retentisse le fatidique BADABOUM ! Notre enseignante a remarqué l'agitation à la puissance 10 de Jonathan.
– Que se passe-t-il ? lui a-t-elle demandé.
– J'ai quelque chose à vous annoncer ! Je sais que je dois attendre la récré pour le faire. Depuis tout à l'heure, je fais des efforts. Mais je n'en peux plus !

– C'est donc une grande nouvelle?

– Une super-hyper-méga-grande nouvelle!

– Dans ce cas, faisons une pause et installons-nous au fond de la classe. Ainsi, tu pourras tout nous raconter.

BARABOUM! – Oh, merci madame!

Une fois chacun sur son coussin, la prof a dit:
– On t'écoute, Jonathan.

Le visage de Joey s'est éclairé comme un soleil.

– Le mois dernier, c'était le temps des demandes d'admission pour l'école secondaire. Eh bien, hier, j'ai reçu un coup de fil du directeur de l'école des Gars. Il m'a annoncé que j'étais accepté!

– C'est quoi, l'école des Gars? a demandé Eduardo d'un air rabat-joie.

– Une école pour les gars…

– Ça, on s'en doute! l'a coupé JJF.

Jonathan s'est énervé:

– J'avais pas fini ma phrase, Gigi! Laisse-moi continuer. C'est une école pour les gars comme moi qui bougent tout le temps.

– Une école pour les *loosers*, a lâché Stanley.

– Pas du tout! a rétorqué Jonathan. Une école pour les gagnants! Le directeur nous a expliqué, à mes parents et à moi, qu'être admis à l'école des Gars, c'était un passeport pour la réussite scolaire.

– C'est une école plus facile que les autres ? s'est informé Patrick.

– Non, je devrai beaucoup travailler. Mais l'équipe sera là pour m'aider à y arriver. À ma future école, il paraît qu'on n'est pas juste vus comme des jeunes hyperactifs avec un déficit d'attention ou des troubles de comportement. On est considérés comme des gars importants. Au lieu de nous punir parce qu'on est remuants, on nous encourage à bouger. À l'école des Gars, on fait plein de sport !

– Dans le fond, tu es chanceux, a dit Hugo.

– Je l'sais !

– Tu vas redoubler ta 6ᵉ année ? lui a demandé Audrey.

– Pas du tout ! s'est écrié Jonathan, choqué. Pourquoi tu dis ça ?!

– Parce que l'école des Gars est une école primaire. Mon voisin y va.

– Jusqu'à cette année, c'était une école primaire, lui a expliqué Joey. Mais à la rentrée, ils vont inaugurer une école secondaire dans le pavillon d'à côté.

Madame Robinson s'est levée.

– Merci, Jonathan, de nous avoir fait part de cette belle nouvelle. Je suis heureuse pour toi. Et je pense qu'on peut tous te féliciter !

Trop *nice* !

C'est *hot* !

Bravo, Joey !

T'es vraiment bon d'être admis !

Ça a l'air cool comme école !

Super !

100

Mercredi 1er décembre

Ce matin, Africa a offert un bracelet de l'amitié à Jonathan. Vert, jaune, brun et noir. Il n'en croyait pas ses yeux.

– Hou, hou…, a raillé Gigi Foster. Africa avoue son amour secret pour Joey!

Se tournant vers la trouble-fête, Afri a protesté.

– Pas du tout! Ça ne s'appelle pas un bracelet de l'amour, que je sache! Voilà plus de 6 ans que je suis l'amie de Jonathan, j'ai bien le droit de lui offrir un bracelet de l'amitié.

Puis, Africa a expliqué à Joey:

– L'autre jour, je t'avais entendu dire à Catherine Frontenac que toi aussi, tu avais envie de recevoir un bracelet de l'amitié. Alors, hier, lorsque tu nous as appris que tu étais admis à l'école des Gars, j'ai décidé de t'en fabriquer un.

– Merci Afri! Toi aussi, t'es mon amie pour la vie! Je ne sais pas fabriquer de bracelet, mais si quelqu'un t'attaque, j'te défendrai!

Et sans crier gare, Jonathan a pris Africa dans ses bras. J'ai eu peur qu'il ne la broie car il ne connaît pas sa force, mais non. Après lui avoir fait un gros câlin pour la remercier, il l'a relâchée. Reprenant son souffle et ne portant pas attention à Patrick et Gigi qui ricanaient, ni au regard dubitatif de Kelly-Ann qui trouve Joey énervant, Africa a souri à ce dernier. Qui lui a rendu son sourire. Un sourire si radieux qu'il a illuminé cette grise matinée de décembre. Vive l'amitié! Oh, ça m'a donné une idée de cadeau de Noël pour Marie-Ève: je vais lui confectionner un bracelet de l'amitié. Bien entendu, c'est TOP SECRET, cher journal.

Ce soir, j'ai le cœur en paix. Je songe même qu'il serait temps de faire une trêve avec mes ennemis.

☺ Sushi ne m'a pas attaquée, l'autre jour, quand je suis allée sonner à la porte de ses maîtres avec la caisse d'oranges. Avec un peu de patience, je réussirai peut-être à l'apprivoiser.

☺ Me réconcilier avec Cruella? Même avec la meilleure volonté du monde, c'est impossible. Mais au moins, pour le moment, elle est hors d'état de nuire. Et le principal, c'est que j'ai fait la paix avec l'anglais!

☺ Reste mon ennemie publique n° 1. Je pourrais toujours m'avancer courageusement vers elle, lever ma tête (JJF est vraiment grande) et proposer: « On fait la paix, Gigi? » Mais je suis sûre à 110 % que tout ce que ça m'attirerait, ce serait un éclat de rire sardonique qui résonnerait longtemps dans mes oreilles. *Ha! Ha! Ha! Ha! Ha!* Non merci, on oublie ça. Quand j'y pense, c'est toujours cette fille qui m'attaque, pas moi. La preuve: j'ai appris son vrai nom le mois dernier, mais je ne l'appelle jamais Ginette, même pas en parlant d'elle à Marie-Ève en dehors de l'école ni à Karim qui se trouve à l'autre bout de la planète. Tout simplement parce que JJF a dit qu'elle détestait ça. Moi, je déteste qu'on se moque de moi. Alors, je ne me moque pas des autres. Ma mère m'a toujours dit qu'il faut se faire respecter ET respecter autrui. Si les gens suivaient le principe d'Astrid Vermeulen, cher journal, tout irait pour le mieux dans le meilleur des mondes. Sur ces pensées profondes, je file au lit!

Jeudi 2 décembre

En arrivant dans notre local après le cours de gym, j'ai vu, par la fenêtre, que la pluie s'était transformée en flocons! Mais comme il s'agissait d'une neige mouillée qui fondait à mesure qu'elle touchait le sol, on n'est pas sortis à la récré, à la grande frustration de Jonathan qui rêvait d'une bataille de boules de neige. Marie-Ève et moi, on a partagé notre collation (dattes et clémentines). Puis, on a rejoint Violette et Bohumil dans le coin lecture. Pendant que Marie-Ève se plongeait dans *Tempête au haras,* le roman qu'elle avait choisi au Salon du livre, j'ai ouvert *Treize petites enveloppes bleues.* Dès les premières pages, j'ai eu envie de savoir ce qui allait arriver à Ginny. Au bout d'un moment, je n'entendais plus le brouhaha qui régnait dans la classe. Tirée de ma lecture par la sonnerie signalant la fin de la récré, j'ai emprunté ce bouquin pour continuer à le lire à la maison.

Jade et Hugo se sont installés devant la classe pour faire leur exposé. Sur le tableau, Hugo a écrit: Le dauphin

Jade a mis la présentation PowerPoint en route. Sur l'écran, un dauphin nageait à côté d'un jeune couple émerveillé. Notre amie a commencé:

– Le dauphin a toujours été mon animal préféré. J'ai déjà assisté à un spectacle de dauphins avec mes parents et ma sœur. Et je rêvais de nager avec eux. Mais Hugo m'a fait comprendre que c'était cruel.

Prenant la parole à son tour, son coéquipier a continué :
– Avant d'être conduits dans les parcs aquatiques, la plupart des dauphins de spectacle vivaient à l'état sauvage. Si les pêcheurs de la baie de Taiji, au Japon, ou d'ailleurs prennent chaque année au piège des milliers de dauphins, c'est parce que l'industrie du tourisme leur offre 50 000 $ ou plus par dauphin vivant. Pourquoi un dauphin vaut-il si cher ? Parce que les spectacles et les programmes de natation en leur compagnie rapportent gros. Plusieurs dauphins meurent lors de leur capture ou sont carrément massacrés. Quant aux survivants, ils sont privés de leur liberté, de leur environnement et de leur famille. Il faudrait…

Interrompant Hugo, Eduardo lui a fait remarquer que les dauphins adoraient sauter dans un cerceau.
– C'est faux ! a répondu Hugo. Comme ces animaux sourient perpétuellement, le public pense qu'ils s'amusent lorsqu'ils pirouettent à la demande d'un dompteur. Mais en réalité, ils souffrent de stress. C'est la forme de leur tête qui donne l'impression qu'ils sourient. La preuve, un dauphin mort continue à « sourire ».
– Se laisser caresser par des humains ou exécuter des acrobaties ne correspond pas du tout à leurs besoins, a renchéri Jade. Ils le font uniquement pour le poisson qu'ils reçoivent après leur performance. Ainsi, jour après jour,

les dauphins sont forcés de distraire les touristes avec les mêmes tours. Fini, le temps où ils nageaient plusieurs dizaines de kilomètres par jour, où ils se nourrissaient de poisson frais et où ils jouaient avec leurs semblables.

– Si je comprends bien, on capture les dauphins pour en faire des esclaves, a commenté Kelly-Ann. Tout ça pour le fric. C'est révoltant!
– Tu as raison, Kelly-Ann, a répondu Jade. Jamais plus je n'irai voir ce genre de spectacle. Je préfère rêver aux dauphins en liberté. Hugo et moi allons maintenant vous présenter ce mammifère intelligent et sensible dans son milieu naturel, l'océan. Ces membres de la famille des cétacés vivent en société. Ils entretiennent des liens familiaux et possèdent leur propre langage. On a même découvert que les dauphins sifflent différemment selon le membre de leur communauté qu'ils appellent. Exactement comme s'ils se donnaient des noms…

Bref, on a été captivés d'un bout à l'autre de leur exposé. J'aime tellement les animaux, cher journal. Je rêve d'un monde meilleur où les humains les traiteraient avec respect.

Cet après-midi, Patrick et Africa nous ont distribué le 1er numéro de *L'Écho des Érables*. Un journal de 16 pages, avec, en couverture, la classe de 4e A sous l'érable. À l'intérieur, il y avait des nouvelles des activités scolaires mais aussi des jeux, des sudokus créés par Bohu et des suggestions de lectures par nulle autre que madame Robinson.

Sans compter une page de blagues, sous le titre « Gags à pattes ». Avec un dessin comique d'un chien saucisse qui riait aux éclats et sur lequel il était marqué « Hi, hi, hi ! ».

Gags à pattes = Gags à Pat = Gaga Pat !

Ha, ha, ha !... Bon, là, c'est moi qui deviens gaga !

Au milieu du journal, la double page intitulée « Tout sur Irina Popovic ! » a attiré mon attention. La prof de 3e année y répondait aux 10 questions posées par ma sœur. En sortant de l'école, j'ai félicité la journaliste en herbe qui, comme tu peux l'imaginer, cher journal, était hyper fière.

– Quel prof présenteras-tu dans le prochain *Écho des Érables* ? me suis-je informée.

– Kim Duval.

– Cool ! Et puis, tu intervieweras monsieur Gauthier ? Et madame Robinson ?

– On verra, a répondu Caro d'un air détaché.

Ma sœur n'apprécie pas qu'on lui impose des choses, cher journal… Mademoiselle aime décider par elle-même.

– En fait, celle que je rêve de mieux connaître, m'a rappelé Caroline, c'est madame Fattal. Dès qu'elle reviendra de son congé de maladie, je lui demanderai de participer. Tiens, je vais faire tout de suite un vœu pour qu'elle soit de retour au mois de janvier.

J'ai fait un vœu secret pour que le vœu de ma sœur ne se réalise pas. Désolée, Caro !

Rien que de penser à cette éventualité, j'ai frissonné. Alors, j'ai fermé les yeux un instant et me suis concentrée TRÈS fort.

106

Ensuite, mine de rien, j'ai demandé à ma sœur :

– Tu n'aimes pas Miss Twigg ?

– Oui, mais madame Fattal, elle, est vraiment unique !

« Unique, c'est le moins qu'on puisse dire, ai-je pensé en levant les yeux au ciel. Pour persécuter sa shpoutz, elle n'a en effet pas son pareil. »

CF et CP
Fin des hostilités !

Vendredi 3 décembre

Ce matin, flocons de neige et flocons d'avoine.

Lorsque le réveil a sonné, Caro s'est levée d'un bond. Elle a ouvert le store, non pas doucement, comme maman nous le recommande souvent, mais d'un coup brusque. Et ce n'était pas tout… Ma sœur a clamé haut et fort :

– Il a neigé, Alice ! On va pouvoir faire un bonhomme de neige.

Pour toute réponse, j'ai émis un vague borborygme. Dommage de devoir se lever… Il faisait si bon sous la couette. Cannelle, qui, 10 secondes auparavant, dormait au pied de mon lit, s'est redressée à regret elle aussi en s'éééééééééééééétirant. Vivement demain (samedi… pour dormir tout notre saoul) !

Dans la cuisine, ça sentait bon le café. Après avoir embrassé mes parents et Zoé, j'ai versé un filet de sirop d'érable sur mon gruau de flocons d'avoine. Puis je l'ai parsemé de noix. Cher journal, tu ne devineras jamais avec **quoi** Caroline garnit son bol de flocons d'avoine, elle ? De la cassonade, tu as raison. Mais encore ? Pour t'aider, je te donne quelques indices : c'est rouge, c'est sucré et salé en même temps… Eh oui, trois petits dômes de ketchup. Beurk.

Contemplant le jardin tout blanc par la fenêtre, mon père a lancé :

– Quel plaisir de revoir la neige! Ça me donne envie de chausser mes skis.

– Moi aussi! a renchéri Caroline.

– Avec l'arrivée du Bichon, l'an dernier, on a été casaniers, a dit papa. Mais cet hiver, nous allons profiter de la neige en famille. Ça, je vous le garantis.

– On va faire du ski alpin! s'est écriée Caro.

– De la planche à neige! me suis-je exclamée à mon tour.

– De la raquette! a dit maman.

– Des glissades sur tube! a ajouté Caro.

Le paternel a lancé:

– Wow, minute! On va commencer par le ski de fond, puisque Astrid et moi, on est déjà équipés. Et les skis d'Alice devraient te convenir, Caroline.

– Pour Alice, peut-être en trouverons-nous au *Big Bazar*? a hasardé moumou.

– On peut toujours aller voir, a répondu papa.

J'aurais préféré une planche à neige ou des skis alpins, cher journal. Mais mes parents nous ont promis qu'en plus du ski de fond:

❋ on ferait une sortie en ski alpin et une autre en raquettes (on louera le matériel sur place);

❋ on irait, comme chaque année, faire des glissades sur tube.

Youpi!

Marie-Ève était nerveuse, aujourd'hui. Car dimanche midi, son père lui présentera sa fameuse Nina… Gloups.

Je croise les doigts afin que tout se passe pour le mieux.
J'ai promis à ma meilleure amie de penser à elle.

Ce soir, on finissait notre mousse au chocolat sous le regard envieux de la pauvre Cannelle lorsque Caro a demandé:

– Qui veut faire un bonhomme de neige avec moi?

– Moi! Moi! Moi! a-t-on crié, papa, maman et moi.

– Ma, ma! s'est exclamée Zoé, qui ne veut jamais être en reste.

– Wouaf! Wouaf! a aboyé Cannelle, toujours prête à participer elle aussi.

Poupou a réparti le travail.

– Chaton, tu mets les assiettes au lave-vaisselle. Moi, je lave les casseroles. Et toi, Alice, tu les essuies et tu les ranges.

Maman a dit pour sa part:

– Je vais aller changer la couche de Prunelle puis je lui mettrai son habit de neige. On vous attendra dehors.

– C'est nous qui allons devoir attendre après vous! a déclaré Caro d'un air de défi.

– Tu prends tes désirs pour la réalité, Ciboulette, a répliqué maman en détachant sa Prunelle de la chaise haute et en filant avec elle à l'étage.

Caro a houspillé notre «équipe»:

– Vite, papa! Grouille-toi, Alice! On DOIT gagner!

Si tu nous avais vus ranger la cuisine, cher journal, tu te serais cru dans un film en accéléré! Moins de 90 secondes plus tard, on s'est précipités dans l'entrée. Maman s'y trouvait déjà, en train d'enfiler les bottes à notre bébé chéri. Caro, dont l'habit de neige n'était pas attaché, a foncé dehors avec Cannelle, suivie de mon père et moi.

– C'est nous, les champions !

La neige collait parfaitement. L'équipe gagnante et l'équipe perdante ont chacune commencé à rouler une boule de neige. Ensuite, ensemble, on a posé celle de maman et de Zoé sur la nôtre. Le bonhomme de neige était bien pansu et avait ma taille. Caro lui a planté la traditionnelle carotte en guise de nez. Moumou a proposé de le coiffer de son vieux chapeau de paille qu'elle m'avait déjà refilé à l'Halloween. Mais papa trouvait que ça ne faisait pas hiver. (Il a raison, on faisait un bonhomme de neige, pas un épouvantail de neige !) Alors il a prêté sa tuque des Canadiens à notre bonhomme de neige. Il l'a d'ailleurs baptisé Carey Price, du nom du gardien de but de l'équipe de hockey.

Samedi 4 décembre

Après le petit-déjeuner, je me suis rendue à pied au magasin à 1 $. J'y ai acheté une série de fils colorés. Prête à confectionner le bracelet de l'amitié destiné à Marie-Ève, je me suis installée dans le bureau afin de suivre les instructions à l'écran. J'ai mesuré et taillé les fils bleu glacier, prune, rose framboise, rouge Bordeaux et blanc cassé puis je les ai attachés à mon gros orteil, comme on le conseille sur Internet. *Hi, hi, trop drôle* !

– Mais… qu'est-ce que tu fabriques?!!!

Ma sœur venait de débouler dans la pièce.

– Un bracelet de l'amitié, lui ai-je répondu.

– Oh, je peux en faire un moi aussi?!

Sacrée Caro! Il fallait s'y attendre.

– Il te faudrait des fils, ai-je soupiré.

– T'en as pas en trop, par hasard? Tiens, l'orange, le rose cochon, le fuchsia et le rouge?

En effet, je n'avais pas besoin de ces coloris-là. Du coup, on s'y est mises toutes les deux. Après un essai, on s'est lancées dans la confection de notre vrai bracelet, destiné à notre BFF respective. Je m'applique pour que le mien soit parfait, cher journal. Et je dois reconnaître que c'est bien plus cool de partager cette activité avec Caro que de la faire seule. Ma p'tite sœur a beau m'énerver parfois et copier mes idées, je l'adore! Et, mine de rien, elle devient grande. Elle a plus de 8 ans et demi, maintenant (8 ans, 6 mois et 26 jours, comme elle le spécifierait).

Cet après-midi, papa s'est rendu au *Big Bazar* avec moi. Ils n'avaient pas de skis de fond. Par contre, on a déniché une boîte à skis (à placer sur le toit de la fourgonnette) pour 20 $ seulement. Une aubaine! Dans 2 minutes, on repart en direction d'un magasin de skis. Du coup, je te laisse, cher journal!

Dimanche 5 décembre

J'ai écrit un message à Karim.

De : Alice Aubry
À : Karim Homsy
Envoyé le : 5 décembre
Objet : Bon anniversaire !

Cher Karim,

Avant même d'ouvrir les yeux, ce matin, j'ai pensé à toi (j'te jure que c'est vrai !). Je ne sais pas si tu as déjà reçu le paquet que je t'ai envoyé. Mais au moins, si tu n'as pas eu ma carte à temps, avec ce message, tu sauras que je ne t'ai pas oublié. Je te souhaite une bonne fête, comme on dit au Québec. Avoir son anniversaire un dimanche, c'est cool, non ? As-tu invité tes amis de l'école ? Ou fait une sortie sur la Corniche à Beyrouth ? Raconte-moi cette journée pas comme les autres, s'il te plaît.

Ici, tout est blanc. J'ai hâte d'essayer mes nouveaux skis de fond. Le week-end prochain, peut-être. Il y a de la neige au Liban ?

12 bisous d'anniversaire d'Alice !

P.-S. - À part ça, à l'école, les 2 Catherine se sont réconciliées. Quel soulagement ! Je te raconterai les détails par Skype.

De : Karim Homsy
À : Alice Aubry
Envoyé le : 5 décembre
Objet : RE : Bon anniversaire !

Chère Alice,
   Merci d'avoir pensé à moi aujourd'hui. On a fêté mes 12 ans chez mes grands-parents qui habitent un village en montagne. Ce midi, toute ma famille était réunie. On a mangé un mezze délicieux et on s'est bien amusés. Là-bas, il neige parfois en hiver et on peut skier. Mais à Beyrouth, ça n'arrive presque jamais.
   À bientôt !
   Karim XX
   P.-S. – Une carte pour moi ? J'ai hâte de la recevoir !

De : Alice Aubry
À : Karim Homsy
Envoyé le : 5 décembre
Objet : Re : Re : Bon anniversaire !

C'est quoi un mezze ?

De : Karim Homsy
À : Alice Aubry
Envoyé le : 5 décembre
Objet : RE : RE : RE : Bon anniversaire !

Un mezze est un repas de fête composé de nombreux plats comme de l'houmous, du taboulé, une fattouche (salade), des feuilles de vigne farcies, de la purée d'aubergines, des samboussiks à la viande (chaussons à la viande, ceux de ma grand-mère sont les meilleurs), des sfihas (galettes à la viande), des brochettes d'agneau, des shish-taouks (brochettes de poulet), des aubergines grillées, de la salade de pommes de terre, etc. Comme dessert, il y avait des fruits frais et des baklavas.

De : Alice Aubry
À : Karim Homsy
Envoyé le : 5 décembre
Objet : Re : Re : Re : Re : Bon anniversaire !

Wow ! Quel festin !

On se parle bientôt,

Alice XX

Cet après-midi, le ciel est redevenu gris et il a commencé à pleuvoir. Caroline regardait un film au sous-sol avec son amie Nour. Maman était partie se promener avec Zoé. Après sa sieste, papa est descendu dans le bureau. Moi, j'ai lu quelques chapitres du livre *Treize petites enveloppes bleues*. J'en suis arrivée à la troisième lettre de tante Peg. Toujours aussi bon! Puis j'ai écouté de la musique sur mon iPod. J'ai bâillé… Tout à coup, je m'ennuyais un peu. TILT! Ça faisait une éternité que je n'avais pas visionné les capsules web des *Zarchinuls*. J'ai rejoint mon père dans le bureau.

– Tu travailles?

– Oui, je termine de préparer ma rencontre de demain avec un de mes clients.

– Quand auras-tu fini? Car j'aimerais utiliser l'ordinateur.

– Je te le cède dans cinq minutes, Alice.

– Merci mon petit poupou! Veux-tu regarder *Les Zarchinuls* avec moi?

– Volontiers.

Huit nouvelles petites histoires hilarantes m'attendaient sur le site des *Zarchinuls*. Au début, Cannelle nous observait d'un air inquiet, papa et moi, car on se contorsionnait de rire! Mais au bout de trois capsules, ma chienne a réalisé que, même si notre comportement était étrange, tout semblait sous contrôle et que nous étions contents. Alors, pendant le reste de la webémission, elle a fixé l'écran et s'est mise à sourire. Oui, je te le jure, cher journal, elle montrait ses dents! Pas d'un air agressif et en grondant, comme lorsqu'elle aperçoit Sushi dans la rue, mais silencieusement et en remuant la queue.

Les Zarchinuls comptent une fan de plus : Cannelle !

Si j'avais découvert ce phénomène plus tôt, je l'aurais raconté à leur créateur Mathieu Jutras !

Ça l'aurait bien fait rire.

20 h 26. Je viens d'appeler Marie-Ève. Elle rentrait d'Ottawa. Brûlant de curiosité, je lui ai demandé comment ça s'était passé avec l'amoureuse de son père.

– Bien, bien, m'a-t-elle répondu d'une voix neutre. Et toi, as-tu passé une bonne fin de semaine, Alice ?

– Euh oui…

– Écoute, il me reste encore mon bain à prendre et mon sac d'école à préparer. On se parlera demain, d'accord ?

– OK. Bonne nuit, Marie-Ève !

– Toi aussi, Alice ! À demain.

Il était tard et mon amie semblait fatiguée. Mais surtout, sa mère devait être dans les parages et Marie-Ève préférait certainement qu'elle n'entende pas ce qu'elle avait à me raconter.

Lundi 6 décembre

À 7 h tapantes, j'ai été tirée de mon sommeil par :

🔊 le *DRIIIIIIIING !!!* surexcité du réveille-matin ;

🔊 le *SCRRRRRRRITCH* hystérique du store ;

🔊 le cri de déception de ma sœur : « Carey Price est tombé !!! »

En effet, l'infortuné bonhomme de neige gisait sur le gazon détrempé par la pluie.

Mes parents nous ont déposées devant l'école, Caro et moi. Courant entre les gouttes, comme dit maman, on s'est précipitées à l'intérieur du bâtiment. La grande salle, déjà bondée, bourdonnait comme une ruche en pleine activité. Marie-Ève, qui devait guetter mon arrivée, est venue me trouver.
– Salut Alice !
– Coucou ! Comment ça va ?
– Bof…, a-t-elle lâché en m'entraînant dans un petit coin à droite de la scène, où il n'y avait que quelques petits de 1re année.
– À cause de Nina ?
Marie a soupiré :
– Nina Azuelos est gentille. Elle est un peu plus jeune que ma mère, super belle et élégante. Elle est parfaite, quoi. En tout cas, papa la couvait du regard, hier. Ça fait drôle de voir son père amoureux fou, Alice… Je suis contente pour lui, mais ça fait bizarre pareil.

Je comprenais ma meilleure amie. Mon père à moi est amoureux de ma mère, c'est évident, mais c'est un amoureux «normal». Par contre, je serais super gênée de me retrouver à la pizzéria entre poupou et une autre femme dont il se serait amouraché. Comme Sabine Weissmuller, par exemple. Elle aussi est jolie et chic. Papa aime bien sa chef mais je sais que des fois, elle lui tape sur les nerfs. Et qu'il sort souvent des réunions avec un mal de tête. Fiouuu… donc, pas de danger de ce côté-là.

Me sortant de ma rêverie, Marie-Ève a poursuivi :
– Comme je suis enfant unique, j'ai été habituée à être la petite chérie de mon père. Et depuis qu'il s'est installé à Ottawa, j'ai toujours eu son attention pour moi toute seule. Je ne sais pas si je suis prête à la partager…
À voir son air perturbé, non, elle ne devait pas être prête.
– Papa était super gentil quand il m'a reconduite jusqu'au village de Saint-Machin-Chose, où ma mère m'attendait comme d'habitude au casse-croûte *Chez Linda*. Mais, quand même, j'étais soulagée de rentrer à Laval.
– Ta maman est au courant, pour Nina ?
– Oui. Et elle est sincèrement heureuse pour son ex. Au moins, je n'ai pas de stress de ce côté-là.
Sur ce, Audrey nous a rejointes puis la cloche a sonné. Pauvre Marie-Ève… Elle se sent un peu mise de côté.

Chouette présentation des 2 Catherine sur le panda géant. On a appris plein de choses sur cet habitant des montagnes de Chine. Et surtout, nos deux amies sont redevenues complices !

En rentrant de l'école, un colis nous attendait sur la table de cuisine. Il venait de Belgique et était adressé à :

Mesdemoiselles
Alice, Caroline et Zoé Aubry
42, rue Isidore-Bottine
Montréal (Québec) H3C 1A6
Canada

Cool! Le colis que mamie nous envoie chaque année pour la Saint-Nicolas. Dans la boîte en carton, on a trouvé :
♡ une carte qui disait : « Bonne Saint-Nicolas à mes trois petites-filles chéries de Montréal! Mamie Juliette qui vous aime tendrement. »

☺ 2 boîtes de spéculoos.

☺ 2 paquets de cuberdons (un peu écrasés).

☺ 2 sacs de mini-pommes de terre en massepain.

☺ 2 cochons en massepain.

Et pour Zouzou, trop petite pour goûter à ces délices, un livre cartonné.

Caroline et moi, on s'est versé un verre de lait. Et on a entamé ces friandises belges que l'on offre traditionnellement aux enfants le jour de la Saint-Nicolas. Me sentant cruelle de savourer ça au nez et à la barbe de Cannelle alors qu'elle ne pouvait pas en profiter, elle aussi, je lui ai offert un de ses biscuits pour chien en forme d'os. Tu te demandes ce qu'est la Saint-Nicolas, cher journal ? Il s'agit de la fête des enfants, en Belgique. Et les spéculoos et le massepain ? Je te rappelle que les spéculoos sont de délicieux biscuits croquants. Quant au massepain, c'est comme ça qu'on appelle la pâte d'amande, en Belgique. J'ai rangé le restant de notre butin en haut de l'armoire de cuisine. Hors de la portée de ma chienne. Car j'ai eu ma leçon à l'Halloween…

19 h 40. Après mon devoir d'anglais, j'ai continué à tisser le bracelet pour Marie-Ève. Car quand tout bouge autour de ma *best*, je sais qu'elle a besoin de se rattacher à des choses solides. Comme à notre amitié.

20 h 08. Je sortais de la douche quand j'ai entendu quelqu'un pleurer. Sans même prendre le temps de m'essuyer,

j'ai enfilé mon pyjama et je me suis ruée en bas. C'était Caroline. Sur la table de la cuisine gisait son cochon en massepain, décapité. Papa avait un air penaud.

– Désolé, mon chaton, s'est-il excusé. Quand j'ai aperçu ces belles friandises, je n'ai pas pu résister.

– Pourquoi tu n'as pas plutôt pris une pomme de terre en massepain ? lui a demandé Caro d'une voix brisée.

– Je n'y ai pas pensé. C'est le cochon que j'ai vu en premier et… j'ai eu envie d'y goûter. Juste une petite bouchée.

– Mon cochon, je ne voulais pas le… le manger… mais le… le garder, a hoqueté ma sœur. Je… je l'avais appelé Barnabé.

Cette fois, elle a éclaté en sanglots déchirants. Aïe. Le drame. TILT ! Mon cochon en massepain était encore intact, lui. Alors, je l'ai offert à Caro. Même si ça l'a vraiment touchée, elle éprouvait encore de la peine. Elle a emballé le corps de son porcelet en sucre dans un mouchoir en papier et, après l'avoir embrassé et trempé de larmes, elle l'a glissé dans le tiroir de sa table de chevet. Ensuite, je suis allée la border. Je lui ai caressé les cheveux jusqu'à ce qu'elle s'endorme. Ma Caroline chérie… Sous des dehors fonceurs, elle cache un petit cœur sensible.

Mardi 7 décembre

Il a plu toute la journée. Et pour reprendre les mots de Miss Twigg : « *It is raining cats and dogs !* » Ce qui signifie qu'il pleut à verse ou qu'il drache, comme on dit en

Belgique. Mais si on traduit littéralement de l'anglais au français, ça donne : « Il pleut des chats et des chiens ! » Comique, non, comme expression, cher journal ?

Alors que je m'installais à l'ordi pour commencer ma recherche sur le loup, j'ai trouvé un courriel de Karim. Je ne peux pas le coller ici, cher journal, pour la bonne raison que l'imprimante refuse de s'allumer. Tant pis, je te résume son message. En rentrant de l'école, donc, Karim avait reçu mon paquet. Il m'a remerciée 1 000 X. Lui qui se sent parfois très loin du Québec, ça lui a fait chaud au cœur de recevoir la carte de fête signée par Bohumil, Simon et les autres. Quant à ma surprise, il l'a adorée. Non seulement les BD de Mathieu Jutras ne sont pas distribuées au Liban, mais en plus, la belle dédicace de l'auteur rendait mon cadeau encore plus précieux à ses yeux. Karim n'avait pu s'empêcher de lire *Pas encore les Zarchinuls ?* avant de se plonger dans l'étude de sa leçon pour monsieur Chedid, demain (gloups…). D'après lui, ce tome 14 est trop bon.

Quelle chance que mon envoi lui ait fait tant plaisir ! Mais j'étais un tout petit peu déçue, aussi, qu'il ne me parle pas de la carte que je lui avais écrite avec tout mon cœur. Ça l'avait gêné, cette carte romantique ? Ou alors, il l'avait juste lue sans vraiment prêter attention à la photo des amoureux devant le coucher de soleil… Mais bon, je m'attendais à quoi ? Que Karim m'écrive qu'il rêvait un jour de se retrouver avec moi posant ma tête sur son

épaule ? Qu'il me déclare que lui aussi m'aimait passion-
nément (je ne le lui avais pas dit dans la carte, mais il aurait
pu comprendre le message de l'image…). Non mais, Alice
Aubry, tu rêves en couleurs… Allez, je ne dois pas gâcher
ce beau moment. Mon paquet est arrivé à bon port et
Karim est aux anges. C'est ça qui compte, dans le fond.

Moi aussi j'ai envie de lire la dernière BD des *Zarchinuls*.
Tiens, pourquoi ne pas la demander pour Noël ? Je m'en
vais de ce pas trouver Caro. Car nos listes de Noël, on les
a toujours établies ensemble. C'est une tradition.

Mercredi 8 décembre

Ce matin, on a eu un contrôle surprise en maths (que je
n'ai pas vraiment réussi). Mais l'après-midi a été entièrement consacré à la répétition pour le *move dub* de demain.
Tout est au point, cher journal ! J'ai tellement hâte d'y être
que je ne sais pas comment je vais réussir à m'endormir !

Jeudi 9 décembre

Move dub : le jour J !

Lorsque j'ai ouvert les yeux, Caro était penchée au-
dessus de moi. Sur son nouveau chandail blanc scintillait
son pendentif-papillon. Elle ne le sort de sa boîte à bijoux
que dans les grandes occasions.

– Tu mets quoi aujourd'hui ? m'a-t-elle demandé.

– Comment ça, quoi ?!

– Ben, quels vêtements vas-tu porter pour le *move dub* ?

– Euh… je vais voir ça.

– On n'a pas de temps à perdre, Alice ! Je dois arriver tôt à l'école pour répéter avec mes amis.

Pfff… Je me suis levée, j'ai embrassé ma Cannelle et me suis dirigée vers la garde-robe. J'aurais aimé enfiler mon tee-shirt de Lola Falbala mais :

☹ je n'avais aucune idée où il se trouvait dans ce fouillis ;

☹ il est interdit de porter des chandails bedaine à l'école.

☺ Par miracle, j'ai mis la main sur mon pull blanc cassé, les collants assortis et ma minijupe rouge. Adjugé !

L'école était en effervescence. Nous, les 6ᵉ, on allait être filmés cet après-midi. Kim Duval étant réquisitionnée pour la réalisation du *move dub,* c'est madame Robinson qui nous a donné le cours d'éduc. Après la séance d'échauffement (un jogging autour du gymnase), elle a retenu l'idée de JJF : une partie de ballon-chasseur. Au grand plaisir de tous ses élèves sauf une. (Tu devines qui, cher journal.) Bref, la matinée et l'heure du midi m'ont semblé interminables, mis à part l'exposé sur l'éléphant, par Violette et Bohu.

Lorsque la cloche a fini par sonner, on s'est empressés de grimper au 3ᵉ étage. Mes amies et moi, on était excitées comme des puces. Après avoir fourré nos vêtements de neige dans nos casiers, on a filé aux toilettes se donner un coup de peigne. La prof d'éduc, un caméraman (le père de Magalie Bélanger, qui travaille à Radio-Canada et a accepté de filmer bénévolement notre *move dub*) et un preneur de son (un collègue à lui) étaient en grande discussion. L'agitation était à son comble. Madame Robinson nous a demandé de nous calmer, puis notre troupeau d'élèves est redescendu jusqu'au palier du 2ᵉ étage.

Jonathan, comme le lui avait demandé madame Duval lors de la répétition, se tenait devant, prêt à bondir. Il était fier de ce privilège (mais moi je sais que c'était l'unique façon pour la prof de s'assurer qu'il ne nous bouscule pas en cherchant à nous dépasser). Lorsque le sifflet de madame Pescador a retenti, on s'est tous précipités joyeusement à la suite de Joey et on a remonté les marches en courant. On a contourné, les uns à droite et les autres à gauche, le caméraman qui nous filmait, comme s'il se trouvait au milieu des rapides du Saint-Laurent.

Ensuite, Petrus s'est assis à terre devant notre classe avec un tambour africain. Il tapait dessus avec ses mains. Pendant que le preneur de son tendait son micro vers lui, le caméraman filmait Jade et Ilhan Batur s'éloignant dans le couloir. Lorsqu'ils sont arrivés au fond, Ilhan s'est tourné vers nous. Les mains de Petrus se sont mises à voler sur son djembé et notre ami de la 6ᵉ A s'est élancé dans le corridor. Il a enchaîné huit roues impeccables, suivi par Jade qui a exécuté une série de flips arrière.

Même si on l'avait déjà vue faire hier à la répète, c'était vraiment spectaculaire!

Cher journal, Jade sautait vers l'arrière, atterrissait sur ses mains, ouvrait une jambe à la fois, retombait sur ses pieds et recommençait... Tout ça à une vitesse supersonique.

Le caméraman a arrêté de tourner et nous, on a entouré les acrobates. Jade se massait les mains.
– Bravo Jade et Ilhan! leur a lancé madame Duval. Tout était parfait du premier coup! Ça va, Jade? Pas trop mal aux mains?
– Si, a avoué notre amie en grimaçant. D'habitude, je fais mes séries de flic-flacs sur un tapis, ce qui amortit les chocs. Mais ça va aller. Merci madame.

L'enregistrement a repris, toujours dans le couloir. Kelly-Ann, Bohumil, Simon, JJF, Antoine Gaudet, Sam Nafisi et moi avons jailli d'un casier en brandissant le V de la victoire!

Brianne et Violette (vêtues chacune de leur tenue de judoka) ont fait une prise de judo (Violette, ceinture orange, a gagné).

Nous, les 6ᵉ B, on est entrés dans notre classe. Après s'être installés à nos places, on a ouvert notre manuel de grammaire. Le caméraman a d'abord filmé madame

Robinson, qui écrivait sur le tableau : *L'accord du participe passé employé avec l'auxiliaire être.* Puis nous, on a fait semblant de se plonger dans la leçon de la page 87. C'est alors qu'Africa a refermé son livre et s'est dirigée vers notre enseignante. Sans mot dire, elles ont échangé leurs places. On s'est levés d'un bloc (la prof, elle, était restée debout), on a poussé notre chaise sous le pupitre, une entraînante musique hip-hop a électrisé l'atmosphère et on a imité les mouvements de danse rythmée d'Africa.

Après, Marie-Ève, Emma, Hugo, Patrick & Stanley se sont assis dans notre beau coin lecture, sur les coussins. Chacun était plongé dans un bouquin, sur fond sonore de guitare (un air mélodieux joué par Eduardo, hors champ).

Puis le caméraman, le preneur de son et madame Duval se sont dirigés vers la classe voisine où deux autres mises en scène devaient être réalisées. Il faudra attendre jusqu'au 21 décembre pour assister à la projection du *move dub* dans la grande salle. Yééé !

Vendredi 10 décembre

Même s'il n'a toujours pas reneigé, les décorations de Noël, à l'école et dans les rues, nous mettent dans l'ambiance de la fin d'année. Madame Robinson nous a d'ailleurs demandé ce qu'on aimerait faire pour le dernier jour de classe.

– Un pyjama party! s'est exclamée Audrey.

– Oui! Yé! Cool!!! Bonne idée! Trop *hot*! C'est *chill*!

– Quelqu'un a-t-il une autre proposition? a fait notre enseignante.

Silence.

– Qui vote pour un pyjama party?

Toute la classe a levé la main. La prof a souri.

– Et pourquoi pas? Il nous reste plusieurs jours pour l'organiser.

En sortant de la classe pour la récré, Audrey jubilait.

– L'idée du pyjama party, j'ai lancé ça comme ça, nous a-t-elle confié. Mais je n'aurais jamais cru que madame Robinson accepterait qu'on passe la nuit à l'école.

– Je vous l'avais dit qu'elle est vraiment sympa! s'est exclamée Kelly-Ann.

– Et tu avais raison, a reconnu Africa.

À propos d'Afri, elle m'a envoyé une chouette photo prise sur son iPod en fin d'après-midi à l'aréna. On m'y voit en train de patiner gracieusement. Cher journal, pour une fois que je suis immortalisée en flagrant délit d'exploit sportif, je vais m'empresser de coller ce «portrait» sur ta couverture rose Betty!

Il y a 2 minutes, j'enfilais mon pyjama Shrek lorsque TILT! Pyjama party! À la maison, j'assume totalement mon look «Shrek». Mais pas question de me présenter à l'école vêtue de ce vieux pyj vert et de ses pantoufles assorties. Ni de mon pyjama bleu trop court. D'accord, le ridicule ne tue pas mais quand même. Et puis, Gigi Foster me gâcherait ma soirée en se moquant de moi une fois de plus. Bref, je suis allée voir maman. Et elle est d'accord pour se rendre au centre commercial demain.

Samedi 11 décembre

Après le petit-déjeuner, on est parties au Carrefour Laval. Caroline nous accompagnait. Zoé aussi, parce qu'elle avait besoin de pantoufles. Une demi-heure plus tard, on avait trouvé ce qu'on cherchait (mon pyjama blanc à pois mauves est trop mignon). On se dirigeait vers la sortie quand, apercevant le père Noël qui trônait au milieu de la grande place, maman a proposé de se faire prendre en photo avec lui. Caroline était partante mais moi, je trouvais ça vraiment bébé, à mon âge!
– Allez-y, je vous attendrai ici, ai-je dit.

Moumou a insisté: elle avait trèèès envie d'avoir une photo avec ses 3 filles et le père Noël. Pour lui faire plaisir, j'ai accepté.

Pendant qu'on faisait la file, Caroline m'a demandé:
– Qu'est-ce qui se passe, Alice? Tu as l'air stressée, tout à coup.
– Noooon, tout va bien, lui ai-je répondu.
– Tu en es sûre? Tu n'arrêtes pas de te retourner comme une girouette. On dirait que tu es aux aguets.

Ma sœur avait raison. Même si je ne voulais pas l'admettre, je surveillais les gens qui passaient près de nous. J'avais peur que Gigi Foster, si jamais elle avait eu l'idée d'aller faire des emplettes, elle aussi, ne me surprenne dans la procession d'enfants qui attendaient avec fébrilité de rencontrer le père Noël! Pire encore, j'imaginais mon ennemie publique n° 1 passant par là avec Magalie et Chloé!!! Ce serait l'horreur absolue. Ma réputation serait faite.

Quand notre tour est arrivé, la fée des Étoiles nous a invitées à monter sur l'estrade. Père Noël, campé sur son trône, nous a accueillies d'un joyeux **HO! HO! HO!** Après l'avoir salué d'un air ravi (il faut bien jouer le jeu), j'ai balayé une dernière fois du regard les abords du clinquant Royaume des fêtes. Pas de JJF en vue. Soulagée et ayant hâte d'en finir, j'ai pris la pose à côté de Caro. Maman a déposé notre bébé chéri sur les genoux de l'imposant bonhomme tout de rouge vêtu, avec son ventre proéminent et sa barbe blanche. Se tournant vers lui, Zoé l'a observé d'un air inquiet. Puis, elle s'est mise à pleurer.

– N'aie pas peur, Zouzou, lui ai-je glissé à l'oreille. Le père Noël est très gentil. Il adore les enfants.

Peine perdue, ma p'tite sœur s'est débattue en hurlant et nous avons dû battre en retraite!

Astrid Vermeulen possède une photo de moi, à 4 mois, qui fait un sourire enjôleur au papa Noël, ainsi qu'un cliché de Caro, 7 mois, qui lui caresse la barbe d'un air émerveillé tandis que moi, je me tiens toute fière contre lui en le tenant par la main (gantée de blanc). Mais, puisque sa petite dernière n'a pas daigné y mettre du sien, la collection de photos des bébés de moumou faisant risette au père Noël s'arrête là.

Sur le chemin du retour, maman a stationné notre fourgonnette sur le boulevard Henri-Bourassa, devant le vendeur de sapins. Du coup, on a passé l'après-midi à décorer celui qu'on avait choisi. Même Zoé a participé en nous apportant les boules étincelantes. Elle a pris sa mission très au sérieux et n'a rien cassé. Lorsque papa a placé l'étoile au sommet de l'arbre de Noël, il faisait déjà noir, dehors.

– Je vais fermer le store, a annoncé maman.

Prise d'une inspiration soudaine, je lui ai demandé :

– Pas tout de suite ! Éteins plutôt la lumière, s'il te plaît.

Ma mère a obtempéré sans poser de question. Elle avait compris. M'adressant à notre bébé chéri, je lui ai dit :

– On a une surprise pour toi. Regarde bien le sapin.

J'ai branché la fiche des guirlandes lumineuses dans la prise. Écarquillant les yeux, Zoé a déclaré :

– Cééé beauuu!!!

Elle m'a regardée d'un air émerveillé puis m'a tendu les bras. Tous les six, on a contemplé le sapin illuminé. Ma p'tite sœur blottie contre moi, je me suis sentie, comme elle, envahie par la magie de Noël.

Zouzou me prend pour une magicienne !

Rompant le silence, Caroline s'est écriée :

– C'est pas tout ça, mais on mange quoi pour souper ?

Elle a rallumé la lampe du salon, maman a descendu le store, et papa et Caro ont disparu dans la cuisine, suivis par Cannelle. Moi, après avoir éteint à nouveau la lampe, je me suis calée dans le canapé avec Zouzou. Mais Caro m'a appelée :

– Aliiice, on fait des crêêêpes! Tu viens nous aider ?

Pfff… pas moyen d'avoir la paix! Mais au moins, les crêpes étaient délicieuses. Et maman a eu une idée géniale. On a soupé aux chandelles et à la lueur des guirlandes lumineuses du sapin. Ambiance 100 % Noël !

Dimanche 12 décembre

19 h 25. Cher journal, devine où on se trouve, toi et moi ? Tu donnes ta langue au chat ? Dans la chambre de Marie-Ève! Car elle m'a téléphoné ce matin.

– Alice, je t'attends vers 14 h 30 pour finir notre recherche sur les loups. Après, je t'invite à souper. Et ce serait super si tu restais à coucher. Ma mère nous conduirait à l'école, demain.

Mes parents ont dit oui !

Chez Marie-Ève, on s'est installées dans sa chambre, devant l'écran de son ordinateur portable. Il nous a fallu presque deux heures pour compiler nos notes et rédiger un bon texte. Après avoir imprimé celui-ci, on a lu 2 X notre présentation à haute voix. On se sent prêtes pour l'exposé de jeudi (même si chacune de nous reverra bien entendu sa partie d'ici là).

Au milieu du souper, le cell de Stéphanie Poirier a sonné. Se levant de table, elle a répondu et a quitté la pièce. Quand elle est revenue dans la cuisine, elle rayonnait.

– Devinez ce qui m'arrive, les filles ?! J'ai été engagée comme maquilleuse sur le plateau de tournage de la 5ᵉ saison de *Samantha et ses colocs* !

Tralalalalère ! Tralalalala ! Quoi ?!! On est restées bouche bée. Puis Marie-Ève a poussé un cri de joie et s'est précipitée dans les bras de sa petite maman.

– Félicitations, Stéphanie ! me suis-je écriée.

– Explique-nous tout ! a réclamé Marie.

Précisions pour que tu t'y retrouves, cher journal. La 5ᵉ saison de notre télésérie préférée, c'est celle dont le tournage débutera en février à Montréal.

134

Tandis que la 4ᵉ saison, elle, est déjà enregistrée. Elle passera à la télé à partir du mois de janvier.

Avant que Marie-Ève sorte de son bain et qu'on installe le lit de camp où je dormirai, je vais m'asseoir dans son gros pouf bleu pour feuilleter le dernier numéro du magazine *MégaStar*. Bref, un dimanche soir TROP COOL!

Lundi 13 décembre

En rentrant de la garderie avec Zoé, maman semblait découragée. Elle nous a raconté que le père Noël avait passé la matinée là-bas. En l'apercevant, Prunelle avait piqué une crise. Et lorsque le bon vieux monsieur lui avait tendu les bras, notre bébé requin l'avait mordu à la main! Il paraît que père Noël saignait à travers son fin gant blanc. Le pauvre…
– Oh non! s'est exclamée Caroline, scandalisée. Ta fille est un véritable piranha, maman. Je te l'avais bien dit qu'il fallait sévir!
Toutes les trois, on a considéré notre redoutable bébé d'un air pensif…

C'est alors que, levant la tête vers nous, Zoé s'est écriée:
– Papènowèl!
– Que dis-tu, Prunelle? lui a demandé maman.
– Papènowèl!

– Désolée, mais je ne te comprends pas. Ça veut dire quoi :
« Papènowèl » ?

TILT !

– Ça signifie : « Pas le père Noël ! », ai-je expliqué à maman.

Pour vérifier si j'avais raison, Caro a questionné Zouzou :

– Tu veux aller voir le père Noël, Zoé ?

Les prunelles agrandies par l'effroi, elle a crié :

– Oh nonnn, papènowèl !!!

J'ai voulu la réconforter :

– T'inquiète, Zouzou, c'est fini le père Noël ! On n'ira plus
le voir.

À moitié rassurée seulement, notre bébé chéri a conclu :

– Non, non, pas pènowèl. Fini pènowèl !

Et elle a glissé sa petite main dans la mienne. Bon, pour
la plus jeune de mes sœurs, cette année encore, Noël se
résumera aux guirlandes lumineuses du sapin et à quelques
paquets rouges et dorés à déballer. Pas question de lui raconter que, durant la nuit du 24 décembre, cet ogre terri-
fiant (car c'est comme ça qu'elle le perçoit, apparemment)
descend par la cheminée pour nous apporter des cadeaux !
Je n'ai pas envie qu'elle hurle toutes les nuits, en proie à
d'affreux cauchemars.

En parlant de Noël, papa venait à peine de rentrer du
travail que grand-maman Francine a appelé. On est in-
vités du 24 au 28 décembre à Covey Hill avec le reste de la
famille. Cooool !

– J'espère qu'il va bientôt neiger, a dit papa. Un Noël sans
neige, ce serait *platte* !

– Il reste encore 12 jours avant Noël, chéri, lui a rappelé Miss Positive qui, en attendant que les flocons daignent se repointer le nez, apprécie la «belle» pluie qui tombe ces jours-ci. La neige ne devrait pas tarder à refaire son apparition.

Le point de vue de Marc Aubry :
J'en ai assez de la grisaille !

Le point de vue d'Astrid Vermeulen :
I'm singing in the rain...

Après le souper, Caroline m'a proposé de terminer nos bracelets de l'amitié. Bonne idée !

20 h 15. Mission accomplie. Marie-Ève appréciera ma surprise de Noël, ça, je n'en doute pas. J'ai trop hâte au dernier jour d'école pour lui offrir ce bracelet ! En attendant, cher journal, je vais te le montrer. Le temps d'aller en faire une photocopie dans le bureau, et je reviens la coller ici.

Et voilà, qu'en dis-tu ? Pour un premier bracelet, il est pas mal beau, n'est-ce pas ?

Mardi 14 décembre

Pendant la récré, on a dû rester dans notre local car *it was* une fois de plus *raining cats and dogs!* Ensuite, après notre dictée quotidienne, la chaise de Jonathan est tombée par terre. Madame Robinson s'est levée. S'approchant de Joey, elle lui a dit :

– Ça fait longtemps qu'on est assis, n'est-ce pas ?

– Pfff… oui madame ! Une éternité !

– Encore un peu et je commençais à prendre racine, moi aussi. On devrait demander à madame Duval de nous concocter une petite routine d'activité physique pour nous permettre au besoin de nous dérouiller les jambes en classe.

– Cool ! s'est écriée Africa. En attendant, voulez-vous que je vous serve de monitrice pour les exercices, comme je l'ai fait pour le *move dub* ?

– Quelle bonne idée, a répondu la prof. Seulement, je voudrais que vous ôtiez vos souliers et que vous ne fassiez aucun bruit. Je ne tiens pas à déranger les élèves de madame Pescador. Ni ceux de monsieur Gauthier non plus. (Je te rappelle, cher journal, que les 5e A se trouvent sous nos pieds.) D'accord ?

OK! Oki doki! Ouais. D'ac!
D'accord! Promis. Oui!

Madame Robinson a ajouté :

– Je règle le chronomètre sur 3 minutes et puis on imite Africa. 5-4-3-2-1… GO !

En suivant notre monitrice de hip-hop qui a le rythme dans le corps, on s'est démenés en silence (ou presque). Bien sûr, plusieurs ont pouffé de rire, Patrick a fait le pitre, Jonathan a atterri sur le pied d'Audrey qui a poussé un cri perçant, mais dans l'ensemble, ça nous a fait du bien de nous défouler.

Mercredi 15 décembre

Ce matin, j'ai rejoint mes amies sous l'érable. Elles discutaient de ce qui s'était passé hier dans notre télésérie fétiche.

– Et toi, Alice, te serais-tu doutée qu'Annabelle Lécuyer trahirait sa coloc? m'a demandé Violette.

– Non, jamais je n'aurais cru ça d'elle. Pauvre Samantha! Elle était vraiment sous le choc!

– Heureusement, elle n'est pas une fille à se laisser abattre, a affirmé Catherine Provencher. Elle a bien fait de mettre Annabelle et Liam à la porte.

– J'ai trop hâte de découvrir qui les remplacera dans les deux chambres vacantes de l'appartement! s'est exclamée Marie-Ève. Dommage que notre émission ne passera pas pendant les fêtes.

– Sais-tu quand débutera la 4e saison? ai-je demandé à ma meilleure amie.

– Le 18 janvier.

– Vous parlez des *Quatre saisons de Vivaldi*? s'est informée Emma qui venait de nous rejoindre.

– Non, de *Samantha et ses colocs*, a répondu Catherine Frontenac.

– C'est quoi?

– Hein, tu ne regardes pas cette télésérie?! s'est étonnée Violette.

– Non, je n'ai pas la télé.

Quoi?!! On a dévisagé Emma comme si elle arrivait tout droit du Moyen Âge.

– Pas la télé?! a répété Audrey. C'est pas possible!

– Ben oui, si je te le dis.

– Mais ça ne te manque pas? a demandé Marie-Ève.

– Non. De toute façon, le lundi en fin d'après-midi, j'ai mon cours de piano puis en soirée, ma famille et moi, on fait des jeux de société. Le mardi soir, je nettoie la cage de Pépita (son cochon d'Inde). Les autres soirs, après mes devoirs, je travaille mon piano. Et je joue aux cartes avec mon arrière-grand-mère. Reste la fin de semaine, mais on la passe souvent au chalet.

Dans le fond, je l'admire, cette fille, car elle est naturelle. Elle ne cherche pas à être comme tout le monde, à vouloir paraître comme ci ou comme ça.

Quel boulot, ce soir! En plus de trois devoirs et de la révision de ma partie sur le loup, madame Robinson nous a demandé d'apprendre le nom des cris des animaux. J'ai lu 2 X la liste avant le souper. Tu te demandes quel cri peut bien pousser le zèbre, cher journal?

Il hennit, tout comme le cheval! Et le pingouin? Il jabote.

Après le souper, j'ai révisé ma leçon à haute voix sur le sofa. Zoé, qui jouait à mes pieds avec sa chenille bien-aimée, s'est arrêtée, intriguée. Ma foi, elle m'écoutait. Du coup, j'ai répété le tout avec elle en imitant le bruit de l'animal correspondant (sauf celui du crocodile, que je n'ai jamais entendu. Par bonheur, je n'ai jamais eu un crocodile qui vagit à mes trousses!).

Il fait quoi le canard? Coin-coin.
Il fait quoi le dindon? Glouglouglouglou.
Elle fait quoi l'abeille? Bzzzzzz
Il fait quoi le cochon? Hrrr Hrrr.

– Wouf! a aboyé Cannelle d'un air inquiet.

Elle devait se demander pourquoi je produisais ces sons inhabituels.

– Tu as raison, ma belle, lui ai-je dit. J'oubliais le chien.

Il fait quoi le chien? Wouf, wouf!

Comme tu peux t'en douter, cher journal, j'ai eu un succès fou avec Zouzou! Caro, voyant qu'on s'amusait, nous a rejointes. Pas pour hennir ou croasser en chœur avec nous mais afin de répéter la chanson que son enseignante lui avait demandé d'apprendre et qui s'intitule *23 décembre*. Cette *toune* de Beau Dommage, je la connais, car moi aussi j'ai eu madame Popovic en 3e. J'ai donc accompagné ma sœur qui, elle, tenait la feuille avec les paroles. Jusqu'à ce que je commette le sacrilège de me tromper. Caro s'est arrêtée net.

– C'est pas : «Quand je r'venais d'passer trois heures dans un grand trou», m'a-t-elle corrigée. Mais : «Quand je r'venais d'passer trois heures dans un igloo» !

Bon, je vais aller me coucher car je n'arrête pas d'aboyer. Euh, je veux dire de bâiller.

Si je n'arrêtais pas d'aboyer, c'est Cannelle qui serait perturbée !

Jeudi 16 décembre

Quand la cloche a sonné, on s'est dirigés vers le gymnase. Pour notre dernier cours d'éduc de l'année, madame Duval avait organisé une série de jeux (sans ballon, fiouuu…). J'ai adoré la course à relais avec le bonnet du père Noël !

En remontant dans notre local au début de l'après-midi, j'avais les mains moites, cher journal. Je ne suis pas timide, mais quand même, faire un exposé devant toute la classe n'est pas ce que je préfère. «Si au moins j'étais passée dans les premières, me disais-je, cette épreuve serait derrière moi.» Finalement, comme Marie-Ève et moi on s'était bien préparées, on a eu beaucoup de plaisir à faire notre présentation sur le loup. Nos amis semblaient captivés et madame Robinson nous a donné 9,5 sur 10. J'ai regagné ma place, heureuse et soulagée.

La prof nous a ensuite interrogés sur les cris des animaux. Quand elle a demandé à Emma ce que faisait la
chèvre, cette dernière s'est écriée :
– Bêêêêê !

Ce qui a fait rire tout le monde. Évidemment, les Pated
se sont tournés vers moi. J'ai failli leur tirer la langue. Mais,
me ravisant, j'ai décidé de faire semblant de rien. Comme
si cette affaire de biquette ne me concernait pas, na.

Petit rappel, cher journal : les Pated est le nom
que j'ai trouvé pour désigner les inséparables
Patrick & Eduardo. Pas à l'école mais dans
tes pages uniquement.

Vendredi 17 décembre

21 h 24. Ce soir, je bouquinais dans mon lit quand mon
père est venu me souhaiter bonne nuit.
– Tu vas déjà te coucher ? ai-je murmuré afin de ne pas
réveiller Caroline.
– Oui, m'a répondu papa sur le même ton. Ma semaine
avec Sabine Weissmuller chez nos clients a été épuisante.
Vivement les vacances !

Un instant plus tard, je suis descendue embrasser maman.
Elle se trouvait dans le bureau, devant l'ordi. La radio
jouait en sourdine et moumou chantonnait *Imagine* en
duo avec John Lennon.

– Qu'est-ce que tu fais? me suis-je informée.

– Je revois un passage de *Tofu tout fou!*

– Je croyais qu'il était fini, ton manuscrit!

– Tu as raison, Alice. Mais l'éditeur m'a demandé d'y apporter quelques corrections. Ensuite, en janvier, on commencera les séances de photos pour illustrer les recettes.

Aïe, j'espère que ça ne nous vaudra pas un autre tsunami de tofu!

À la radio, ils ont passé *Divine,* de Lola Falbala. J'ai eu le malheur de dire:

– J'adore cette chanson!

– Elle est mélodieuse, en effet. Et quelle belle voix! C'est Lou-Ann Falbanan?

J'ai pris la mouche.

– Pas Lou-Ann Falbanan! Pourquoi pas Folle banane, tant que tu y es!

– Voyons Alice, un peu de politesse! s'est exclamée ma mère qui ne s'attendait pas à cette attaque en bonne et due forme.

– Il faudrait que tu y mettes un peu du tien, m'man! Cette chanteuse s'appelle LOLA FALBALA, ai-je ajouté d'un ton sec avant de quitter la pièce.

J'ai filé en haut. Debout au milieu de ma chambre où Caro et ses cochons dormaient paisiblement, j'ai serré les poings. J'étais fâchée. Contre Astrid Vermeulen mais surtout contre moi, cher journal. Parce que je me sentais mal de m'être emportée. Qu'est-ce que tu veux, ça m'éneeeerve quand maman se trompe. Si c'était la 3ᵉ ou la 4ᵉ fois, passe encore. Sans exagérer, ça doit faire au moins la 15ᵉ fois qu'elle s'évertue à remplacer le nom de Lola Falbala par d'autres, tous plus farfelus les uns que les autres! Si elle voulait se moquer de ma chanteuse préférée, elle ne s'y prendrait pas autrement. Enfin… ce soir, dans le fond, elle cherchait simplement à s'intéresser à la musique que j'aime. C'est cool, ça. Quand on y pense, que ma gentille moumou déforme le nom de Lola Falbala n'a aucune importance. Si c'était madame Shapiro qui jouait ce tour-là à sa fille, celle-ci n'en ferait pas tout un plat. Mais bon, moi, je ne suis pas Emma.

Merci de me permettre de m'épancher, cher journal, même si je te balance mes émotions pêle-mêle. Quand je te disais l'autre jour que la vie ressemble à des montagnes russes… Je suis fatiguée. C'est sans doute pour ça que j'ai perdu patience. Tiens, ma bonne Cannelle sommeille au pied de mon lit en ouvrant de temps en temps un œil pour s'assurer que je suis toujours là. Je vais aller la caresser. Ça a le don de m'apaiser et elle, elle adore!

22 h 01. Séance câlins réussie. Cannelle, les yeux fermés, poussait des soupirs d'aise, et moi, j'ai retrouvé ma «zénitude». Avant de me glisser dans mon lit, je vais aller présenter mes excuses à ma mère (je veux dire: à Ingrid Vermeer… hé, hé, petite vengeance).

22 h 09. Me voici de retour après ma mission pardon-bisou-bonne-nuit. Je lui ai dit :

– Désolée pour tout à l'heure, maman. Je t'aime. Je vais essayer d'être plus patiente, tu sais.

 Levant les yeux de l'écran et me gratifiant d'un sourire si doux, elle m'a répondu :

– Et moi, ma fille adorée, je te promets de faire des efforts pour retenir le nom de Liana Fabella !

 Cette fois, je n'ai rien dit, cher journal. Sauf :

– À demain.

– Bonne nuit, Biquette. Fais de beaux rêves.

Biquette ! J'ai failli lui rappeler que depuis quelques semaines, je ne m'appelle plus Biquette, mais je me suis retenue. Ma mère a été assez bousculée comme ça. Mes nerfs sont à nouveau en boule, cher journal. Mais pas trop. Car en digne disciple d'Astrid Vermeulen, j'ai trouvé un point positif. Et pas n'importe lequel. Un point qui en vaut 10 et même 100 : ma mère m'aime profondément. Et ça, c'est plus important que toutes les distractions du monde.

Samedi 18 décembre

Aujourd'hui, on a parlé à notre famille belge par Skype. Car mon cousin Quentin a eu 14 ans. Pour l'occasion, mamie était invitée à souper chez tante Maude. J'aurais tellement aimé faire la fête avec eux, moi aussi, cher journal ! Être là-bas avec maman, papa, Caro, Zoé et Cannelle.

D'accord, c'est une richesse d'avoir deux pays, mais des fois, je trouve ça difficile, notamment lors des événements familiaux. On ne peut presque jamais y participer. Car entre Montréal et Bruxelles, il y a un océan…

Dimanche 19 décembre

Marie-Ève m'a appelée ce soir. Elle était revenue d'Ottawa et avait envie de jaser. Bien entendu, la fameuse Nina a été au centre de notre conversation. Mon amie avait apprécié avoir son père à elle seule vendredi soir et samedi matin. Nina était arrivée au début de l'après-midi. Ils ont marché ensemble jusqu'au Musée des beaux-arts du Canada. Après être allés voir une exposition, ils ont mangé dans une pizzéria puis sont retournés dans le petit appart du père de Marie-Ève. Jusque-là, tout s'était bien déroulé.

– Mais quand papa a sorti son saxophone et qu'il a commencé à jouer, tout à coup, j'ai eu hâte que Nina s'en aille, a poursuivi Marie-Ève. Il n'avait d'yeux que pour sa blonde et moi, je me sentais de trop. J'ai filé au bain pour les laisser tous les deux… Je suis sûre que si je n'avais pas été là, Nina serait restée dormir chez mon père. J'ai fini par sortir de la salle de bain et elle est partie.

– Et aujourd'hui, elle a passé la journée avec vous? me suis-je informée.

– Non, et tant mieux! Imagine, Alice, que la prochaine fois que je retournerai à Ottawa, ce sera pour sept jours! Si Nina n'avait pas été dans le décor, j'aurais été super heureuse de passer le Nouvel An et les jours suivants avec mon père ! Le voir seulement une fin de semaine sur deux, tu sais, c'est vraiment pas assez. Il me manque. Mais vu la situation, je risque de trouver la semaine longue…

Pauvre Marie-Ève. Je la comprends, mais n'ayant moi-même jamais vécu cette expérience, je ne sais pas quoi lui conseiller.

Lundi 20 décembre

Avant de me rendre à la cafétéria, ce midi, je suis passée aux toilettes. En arrivant à notre table, je suis tombée en pleine discussion.

– L'idée selon laquelle le requin est un mangeur d'hommes est un mythe ! s'est exclamé Hugo. Chaque année, les requins ne sont responsables en moyenne que de 5 décès. Par contre, il y a une triste réalité : les hommes tuent des millions de requins. Or, si les squales étaient menacés de disparition, ça mettrait en péril l'équilibre écologique de la planète.

– Les humains doivent bien se nourrir, a argumenté Stanley.

– Tu as raison. Mais sais-tu que beaucoup de requins sont chassés uniquement pour leurs ailerons et leur nageoire caudale ?

– Euh, non.

– On les capture, on leur coupe les ailerons puis on les rejette à la mer. Comme ils saignent et ne peuvent plus nager, ils agonisent dans des souffrances atroces.

– Arrête, sinon je vais vomir ! s'est exclamée Éléonore, horrifiée.

Puis elle a regardé son sandwich d'un drôle d'air, comme s'il était au requin plutôt qu'au jambon.

Bohumil s'est informé :

– Et qu'est-ce qu'on en fait, de tous ces ailerons de requins ?

– De la soupe, a lâché Hugo.

– Beurk ! a dit Audrey.

– Cette soupe est très prisée par les Asiatiques, paraît-il.

Jonathan s'en est pris aux Pated.

– Pourquoi vous nous avez caché que tant de requins sont mutilés, quand vous avez fait votre exposé ?!

Eduardo a haussé les épaules.

– On n'était pas au courant. Et toi, comment tu sais ça, Hugo ?

– Hier, j'ai regardé le film *Les seigneurs de la mer*.

– *Les dents de la mer*, tu veux dire, l'a repris Patrick.

– Non, il s'agit bien des *Seigneurs de la mer*. Ce documentaire dénonce le *shark finning*, cette sorte de pêche très cruelle.

J'ai toujours craint les requins, cher journal. J'ai un peu (beaucoup) honte, mais je t'avoue que quand j'étais petite, j'avais même peur qu'il y en ait un qui surgisse de la partie profonde de la piscine publique. Mais maintenant, je suis grande, et cette histoire de requins auxquels on tranche les ailerons pour en faire de la soupe, ça me fend le cœur.

Mardi 21 décembre

Dans 4 jours, c'est Noël! Toujours pas de neige... Mais bon hiver quand même, cher journal!

Après la récré, on s'est rendus à la grande salle. Les rideaux tirés obscurcissaient les fenêtres. L'immense écran utilisé pour les projections de films avait été placé sur la scène. Quand tout le monde a été installé, la lumière s'est éteinte et la projection a débuté. Place au *move dub*!

Quinze minutes plus tard, c'était fini. WOW! Le résultat est époustouflant! Madame Pescador a promis de le mettre sur le web, pendant les vacances. J'ai hâte de montrer ça à mes parents. Et aussi à ma cousine Lulu.

Trop cool!

Cet après-midi, Miss Twigg nous a annoncé une TRÈS mauvaise nouvelle: elle ne reviendra pas en janvier. En effet, madame Fattal va beaucoup mieux et son congé de maladie tire donc à sa fin. Quoi! Crucru sera de retour après les fêtes?!!! J'étais loin d'être la seule à être atterrée.

Après le cours, pendant que la remplaçante rangeait ses affaires dans son sac, j'avais la gorge serrée. Cette gentille enseignante m'avait fait réaliser que je n'étais pas nulle en anglais. Petit à petit, j'avais gagné une certaine confiance en moi. Finies, les crampes au ventre le mardi midi. Disparue, l'impression d'avoir des semelles de plomb en montant vers notre classe, le mardi après-midi, et de me diriger vers l'échafaud. Au lieu d'être sur la défensive comme autrefois, j'étais maintenant détendue et curieuse de découvrir de nouveaux mots. Je levais même parfois la main quand Miss Twigg posait une question. Mais la trêve est finie. *Zut de zut! Le vœu de Caroline Aubry s'est réalisé...*

– J'aurais voulu vous garder toute l'année! nous a avoué la remplaçante.

– Moi aussi, a déclaré Patrick.

Étonnés, on s'est tournés vers lui. Mais Pat ne plaisantait pas. Il s'était toujours montré fendant avec les profs et avait même donné du fil à retordre à monsieur Gauthier. Mais Miss Twigg, elle, l'avait apprivoisé et Patwigg, euh, je veux dire Patrick, était devenu doux comme un agneau (à son cours seulement). Il ne l'appelait d'ailleurs plus jamais Miss Twit.

– Vous êtes la meilleure prof d'anglais! a poursuivi l'élève Drolet. Le jour où Fatalité prendra sa retraite, j'espère que monsieur Rivet vous engagera à temps plein à l'école des Érables.

Comme si le cri du cœur de Pat avait déclenché l'ouverture d'une vanne, on s'est tous écriés en même temps, dans une joyeuse cacophonie :

Merry Christmas!

Merci Miss Twigg...

Good luck!

Joyeux Noël.

On ne vous oubliera pas.

Merci pour tout!

Thank you so much!

Passez de belles fêtes.

La remplaçante n'a pas relevé le «Fatalité» qui avait échappé à Patrick Drolet. Au contraire, surprise et très touchée, elle a dit :

– Merci Patrick. Toi et tes amis, vous êtes des jeunes formidables ! Et votre classe est forte en anglais. Vous avez fait de gros progrès pendant ces quelques semaines passées ensemble. À l'école secondaire, vous devrez lire et analyser des romans dans la langue de Shakespeare. Mais je ne suis pas inquiète : vous serez prêts à relever ce défi. Continuez à bien travailler !

– Et vous, vous allez vous retrouver au chômage ? lui a demandé Patrick d'un air inquiet.

– Non, heureusement. En janvier, je remplacerai une enseignante d'anglais en congé de maternité au collège Jean-Paquin.

Hein ! À ma future école secondaire ! Ce serait trop cool de la retrouver là-bas…

Mercredi 22 décembre

16 h 25. Ce matin, on a décoré notre local en vue du pyjama party. Puis, madame Robinson nous a remis nos derniers examens. En maths, ça pourrait être mieux (71 %). Par contre, en français, j'ai 95 % en composition et 98 % en dictée. Et devine quelle note Miss Twigg m'a donnée pour mon examen-bilan en anglais, cher journal ? 84 % ! Super, non ?! Comme tu peux te l'imaginer, je n'ai jamais eu ça avec Cruella ! Je pressens que, durant le

dernier semestre de mon primaire, mes notes d'*engliche* seront à nouveau en chute libre… Bon, il ne faut pas penser au retour de madame Fattal sinon je vais déprimer. Pensée positive à la rescousse : ce soir, c'est la fête à l'école ! Je te laisse, cher journal, pour aller prendre ma douche et me préparer. Car après le souper, ce sera le temps d'y aller.

18 h 44. Pauvre Caro, elle est verte de jalousie. Elle aussi aurait rêvé d'un pyjama party dans sa classe. Mais madame Popovic a plutôt prévu une petite chorale de Noël (de trois chansons) avec ses élèves, demain matin. Bon, moi, je m'apprête à enfiler mon habit de neige par-dessus mon nouveau pyjama. Papa est prêt à me conduire au pyjama party des 6ᵉ B ou plutôt, du 3ᵉ étage (car les 6ᵉ A ont repris l'idée d'Audrey avec la bénédiction de madame Pescador).

Jeudi 23 décembre

13 h 45. Hier soir, monsieur Rivet nous a accueillis à l'entrée. Mon père m'a aidée à monter tout mon barda. Du 3ᵉ étage nous parvenaient de joyeuses exclamations. Oh, le baby-foot du sous-sol était installé dans le corridor, entre les deux classes ! Cool ! Plusieurs de mes amis encourageaient CF et Audrey qui jouaient une partie endiablée contre Joey et Sam Nafisi. Après avoir salué madame Robinson (en pyjama rouge avec un renne sympa dessus) et déposé mon matelas en mousse et mon sac de couchage contre le mur de la classe, papa m'a souhaité bonne nuit et

est reparti. Deux parents allaient passer la nuit avec nous : la mère de Khadija Mahfouz et le père de Jonathan.

Jade, Eduardo, Éléonore et Marie-Ève sont arrivés peu après, suivis d'Emma. Son pyjama rose avait l'air trop confo. Mais la veste sans manches en mouton qu'elle portait par-dessus avait dû être à la mode à l'époque des cavernes. Benjamin Shapiro ressemble à un homme de Cro-Magnon… Emma appelle sa mère « Mamoutte » et s'habille de peaux de mouton… TILT ! Emma Shapiro et sa tribu n'ont pas, comme je l'avais imaginé, débarqué d'une autre galaxie ni même du Moyen Âge mais bien de la préhistoire ! Monsieur Shapiro est un scientifique, paraît-il. Il a dû inventer une machine qui les a tous propulsés dans le futur… plus précisément, au 21e siècle. Tu crois, cher journal, que je juge Emma Shapiro et que je me moque d'elle ? Je te rassure : ce n'est pas le cas. Chacun a le droit de s'habiller comme il veut et Emma est mon amie. Mais tu sais que, dans tes pages, je me laisse parfois aller à délirer !

Madame Pescador a veillé à ce que tous ceux qui le désiraient puissent jouer au baby-foot. Ma BFF et moi, on a disputé un match épique contre JJF et Stanley. Imagine-toi donc, cher journal, qu'on a gagné ! De justesse mais quand même. Si je suis nulle aux jeux de ballon, au baby-foot, par contre, je marque plein de buts. Selon la « charmante » Gigi Foster, ce n'est pas parce que je suis douée mais plutôt parce que j'ai eu une chance écœurante. Après qu'on eut cédé la place aux suivants, Marie-Ève et Simon se sont éclipsés discrètement au fond du couloir. Moi, j'ai assisté en classe aux quatre tours de magie qu'Africa nous avait préparés. Trop cool! Madame Robinson a distribué des biscuits à la ronde (qui convenaient pour Violette). Et celle-ci nous avait apporté de délicieuses gaufrettes chocolatées!

Sans crier gare, Stanley a lancé un coussin rouge sur Kelly-Ann qui a riposté. Joey s'y est mis lui aussi et en moins de temps qu'il n'en faut pour le dire, des projectiles rouges et jaunes ont fusé à travers la classe, sous l'œil amusé de madame Robinson. Elle a même attrapé un oreiller au vol et l'a relancé dans la mêlée.

Lorsque plusieurs d'entre nous se sont écroulés par terre, épuisés, en demandant une trêve, la prof est intervenue. Après avoir frappé dans ses mains et réclamé le silence, elle a déclaré:
– Il est presque 21 h 30. La soirée n'est pas terminée mais je souhaiterais qu'à partir de maintenant, vous vous calmiez et que vous rangiez les coussins et les oreillers. Si vous respectez cette consigne, il vous restera encore une heure avant le couvre-feu. À 22 h 30, monsieur Rivet et monsieur Vadeboncœur descendront dans la grande salle avec les garçons. Les filles de 6e B resteront ici avec moi. Et vous, Éléonore et Chloé, vous irez passer la nuit dans votre classe. Entendu?
Patrick a soupiré. Mais après avoir ramassé deux coussins, il a proposé un match d'impro à Mathis Lafontaine qui est dans sa ligue. Eduardo, lui, a joué une partie

d'échecs avec Petrus, sous l'œil attentif de Bohumil. Mes amies et moi, on s'est assises au fond de la classe.

– Vous allez faire quoi, pendant les fêtes? leur ai-je demandé.

✳ Africa se réjouit d'avoir du temps le matin pour lire au lit. Elle a aussi envie de faire plusieurs sorties (patinage au Vieux-Port avec son grand frère + cinéma Imax, etc.).

✳ Jade, Anaïs et leurs parents reçoivent leur famille à Noël.

✳ Emma & cie partent demain pour leur chalet dans les Laurentides.

✳ Kelly-Ann séjournera à Québec du 30 décembre au 1er janvier.

✳ Audrey passera la Noël avec la famille de son père et le Nouvel An avec sa mère.

✳ Catherine Provencher ira skier au Massif de Charlevoix.

✳ Catherine Frontenac rendra visite à ses grands-parents à Kamouraska.

✳ Violette est invitée à passer le Nouvel An chez sa tante qui habite New York. Juste elle, sans ses parents ni ses petits frères. Wow!

Après que le directeur (en pyjama!) fut passé chercher les gars, nous les filles de la 6e B, on est allées aux toilettes puis on s'est glissées dans nos sacs de couchage. Lorsque madame Robinson a éteint la lumière, Marie-Ève et moi, on a encore un peu papoté tout doucement.

Ce matin, j'ai été tirée de mon sommeil par un gros remue-ménage. Je me suis d'abord demandé où je me trouvais avant de me souvenir que j'avais dormi dans ma classe! Madame Robinson et plusieurs élèves cherchaient Emma. Elle n'était pas aux toilettes et madame Pescador ne l'avait pas vue. Heureusement, monsieur Rivet est venu nous dire qu'il venait de trouver Emma à la cafétéria. Assise sur une chaise, elle dormait, la tête et les bras posés sur la table. Elle ne se souvenait de rien, paraît-il.

Emma est somnambule!

Le soleil entrait à flots dans la cafèt'. Le père de Brianne et de Billie est venu livrer une centaine de croissants qui sortaient du four (il est boulanger-pâtissier)! Chacun de nous avait apporté un pot de confiture, du chocolat à tartiner, un paquet de beurre, du lait, du jus ou encore des fruits, comme moi. La mère de Violette est arrivée avec une boîte à lunch pleine de choses appétissantes pour sa fille. Caroline est venue m'embrasser et saluer mes amis.
– Bon appétit! nous a-t-elle lancé avant de rejoindre Jimmy qui l'attendait à la porte de la cafétéria.

Apparemment, ma sœur avait oublié sa jalousie. Tant mieux!

En revenant en classe, j'ai offert mon cadeau de Noël à Marie-Ève. Lorsqu'elle l'a ouvert, elle a écarquillé les yeux, ravie. Puis, elle a commencé à rire. Je me demandais bien pourquoi, avant de comprendre une fois déballé le petit paquet qu'elle avait pour moi. Et qui contenait... un bracelet de l'amitié, lui aussi! Turquoise, vert lime, blanc, rose vif et vert pomme. Nous, les meilleures amies du monde, on est vraiment sur la même longueur d'onde ! Et, décidément, Catherine Provencher avait lancé la mode des bracelets de l'amitié. Car Éléonore est venue nous faire admirer le sien, avec un superbe motif en zigzag. Cadeau de Violette !

Madame Robinson nous a raconté les dernières pages d'*Un sac de billes*. Une fois la guerre finie, Joseph Joffo, 13 ans, est finalement rentré à Paris. Il a retrouvé sa maison et sa famille. Sauf son père qui n'est jamais revenu du camp de concentration où on l'avait envoyé, le pauvre. Mais au moins, la paix tant espérée régnait à nouveau. C'est le cas dans notre classe aussi, cher journal. Quel bonheur ! Pour Noël, je ne pouvais rien souhaiter de mieux.

L'école finissait à 11 h et papa est venu nous chercher. Il avait à peine démarré que ma sœur s'est mise à chanter :
J'ai dans la tête un vieux sapin, une crèche en d'ssous
Un Saint-Joseph avec une canne en caoutchouc...
Était mal faite pis j'avais fret
Quand je r'venais d'passer trois heures dans un igloo
Qu'on avait fait, deux ou trois gars, chez Guy Rondou

Mon père et moi, on a entonné le refrain avec Caro :
23 décembre, joyeux Noël, monsieur Côté
Salut ti-cul, on se r'verra, le 7 janvier...

Vive les vacances de Noël !

Nous voici à la fin du cahier rose Betty, cher journal! La suite au prochain épisode, comme on dit… Pas le 18 janvier, début de la 4ᵉ saison de *Samantha et ses colocs*, mais bien le 24 décembre, dans le cahier rouge. Tant que j'y pense, je vais glisser ce 9ᵉ cahier dans mon sac de voyage. Car demain matin, on part tous les 7 (maman, papa, Caro, Zoé, Cannelle, toi et moi) à Covey Hill pour les fêtes! J'ai TROP hâte!

Hugo, Jade et Stanley en pleine action!

Marie-Ève et moi prêtes à dormir dans notre classe…

Catalogage avant publication
de Bibliothèque et
Archives nationales du Québec
et Bibliothèque et Archives Canada

Louis, Sylvie

Le journal d'Alice

Sommaire: t. 8. Et si on faisait la paix?.
Pour les jeunes de 9 ans et plus.

ISBN 978-2-89686-744-8 (v. 8)

I. Battuz, Christine. II. Titre.
III. Titre: Et si on faisait la paix?.

PS8623.O887J68 2010   jC843'.6
C2009-941002-8
PS9623.O887J68 2010

Direction littéraire et artistique:
Agnès Huguet
Correction et révision: Céline Vangheluwe
Conception graphique: Nancy Jacques
Conception graphique de la couverture:
Dominique Simard

Dépôt légal: 1er trimestre 2014
Bibliothèque et
Archives nationales du Québec
Bibliothèque et Archives Canada

Imprimé au Canada

Dominique et compagnie
1101, avenue Victoria
Saint-Lambert (Québec) J4R 1P8
Téléphone: 514 875-0327
Télécopieur: 450 672-5448
Courriel: dominiqueetcompagnie@
editionsheritage.com
www.dominiqueetcompagnie.com

Nous reconnaissons l'aide financière
du gouvernement du Canada par l'entremise
du Fonds du livre du Canada
et du Conseil des Arts du Canada.

Nous reconnaissons l'aide financière du
gouvernement du Québec par l'entremise du
Programme de crédit d'impôt – SODEC –
Programme d'aide à l'édition de livres.

Remerciements de l'auteure

Merci à Maryse (Peyskens), auteure
du roman *L'École des Gars*,
paru aux éditions Dominique
et compagnie, d'avoir admis Jonathan
à la section secondaire de l'école des Gars.

Le roman *Tempête au haras*, par Chris
Donner, est paru aux éditions L'école
des loisirs.

Dominique Simard a prêté sa plume à
Mathieu Jutras.

Treize petites enveloppes bleues et *La
dernière petite enveloppe bleue*, par Maureen
Johnson, sont parus aux éditions Gallimard.

L'anecdote avec Sido et l'araignée,
en page 74, est tirée de *La maison de
Claudine*, de Colette, Gallimard,
La bibliothèque de La Pléiade.

23 décembre est une chanson
de Beau Dommage.

La chanson de la p. 137, *Singin' in the
Rain*, a été écrite par Arthur Freed
et composée par Nacio Herb Brown.

Achevé d'imprimer en février 2014 sur les presses
de Payette & Simms à Saint-Lambert (Québec)